Desenvolva Sua Inteligência Financeira

Outros Best-sellers da Série *Pai Rico*

Pai Rico, Pai Pobre

Independência Financeira

O Poder da Educação Financeira

O Guia de Investimentos

Filho Rico, Filho Vencedor

Aposentado Jovem e Rico

Profecias do Pai Rico

Histórias de Sucesso

Escola de Negócios

Quem Mexeu no Meu Dinheiro?

Pai Rico, Pai Pobre para Jovens

Pai Rico em Quadrinhos

Empreendedor Rico

Nós Queremos que Você Fique Rico

Mulher Rica

O Segredo dos Ricos

Empreendedorismo Não Se Aprende na Escola

O Toque de Midas

O Negócio do Século XXI

Imóveis: Como Investir e Ganhar Muito Dinheiro

Irmão Rico, Irmã Rica

Como Comprar e Vender Empresas e Ganhar Muito Dinheiro

Desenvolva Sua
Inteligência Financeira

— Edição Revista e Atualizada —

Seja Genial com Seu Dinheiro

Robert T. Kiyosaki

Rio de Janeiro, 2017

Desenvolva Sua Inteligência Financeira — Seja Genial com Seu dinheiro
Copyright © 2017 da Starlin Alta Editora e Consultoria Eireli. ISBN: 978-85-508-0128-5

Translated from original Increase Your financial IQ by Robert T. Kiyosaki. Copyright © 2008, 2013 by Robert T. Kiyosaki. ISBN 978-0-446-50936-7. This edition published by arrangement with Rich Dad Operating Company, LLC., the owner of all rights to publish and sell the same. PORTUGUESE language edition published by Starlin Alta Editora e Consultoria Eireli, Copyright © 2017 by Starlin Alta Editora e Consultoria Eireli.

CASHFLOW, Rich Dad, Rich Dad Advisors, ESBI, e Triângulo B-I são marcas registradas da *CASHFLOW Tecnologies, Inc.*

Todos os direitos estão reservados e protegidos por Lei. Nenhuma parte deste livro, sem autorização prévia por escrito da editora, poderá ser reproduzida ou transmitida. A violação dos Direitos Autorais é crime estabelecido na Lei nº 9.610/98 e com punição de acordo com o artigo 184 do Código Penal.

A editora não se responsabiliza pelo conteúdo da obra, formulada exclusivamente pelo(s) autor(es).

Marcas Registradas: Todos os termos mencionados e reconhecidos como Marca Registrada e/ou Comercial são de responsabilidade de seus proprietários. A editora informa não estar associada a nenhum produto e/ou fornecedor apresentado no livro.

Impresso no Brasil — 2017 - Edição revisada conforme o Acordo Ortográfico da Língua Portuguesa de 2009.

Publique seu livro com a Alta Books. Para mais informações envie um e-mail para autoria@altabooks.com.br

Obra disponível para venda corporativa e/ou personalizada. Para mais informações, fale com projetos@altabooks.com.br

Produção Editorial	**Gerência Editorial**	**Produtor Editorial (Design)**	**Marketing Editorial**	**Vendas Atacado e Varejo**
Editora Alta Books	Anderson Vieira	Aurélio Corrêa	Silas Amaro marketing@altabooks.com.br	Daniele Fonseca Viviane Paiva comercial@altabooks.com.br
Produtor Editorial	**Supervisão de Qualidade Editorial**	**Editor de Aquisição**	**Vendas Corporativas**	**Ouvidoria**
Claudia Braga Thiê Alves	Sergio de Souza	José Rugeri j.rugeri@altabooks.com.br	Sandro Souza sandro@altabooks.com.br	ouvidoria@altabooks.com.br
Equipe Editorial	Bianca Teodoro Christian Danniel	Ian Verçosa Illysabelle Trajano	Juliana de Oliveira Renan Castro	
Tradução (1ª edição)	**Copidesque (1ª Edição)**	**Revisão Gramatical (atualização)**	**Diagramação (atualização)**	
Eliana Bussinger	Shirley Lima da Silva Braz	Carolina Gaio Thamiris Leiroza	Joyce Matos	

Erratas e arquivos de apoio: No site da editora relatamos, com a devida correção, qualquer erro encontrado em nossos livros, bem como disponibilizamos arquivos de apoio se aplicáveis à obra em questão.

Acesse o site www.altabooks.com.br e procure pelo título do livro desejado para ter acesso às erratas, aos arquivos de apoio e/ou a outros conteúdos aplicáveis à obra.

Suporte Técnico: A obra é comercializada na forma em que está, sem direito a suporte técnico ou orientação pessoal/exclusiva ao leitor.

CIP-Brasil. Catalogação na fonte
Sindicato Nacional dos Editores de Livros, RJ

K68p   Kiyosaki, Robert T., 1947-
           Pai rico: desenvolva sua inteligência financeira:
           5 estratégias para aumentar seu patrimônio / Robert T. Kiyosaki;
           prefácio de Donald J. Trump; [tradução Eliana Bussinger]. – Rio
           de Janeiro: Alta Books, 2017.

           Tradução de: Rich dad's increase your financial IQ
           ISBN 978-85-508-0128-5

           1. Finanças pessoais – Manuais, guias, etc. I. Título.

08-3399.   CDD: 332.02401
                                                          CDU: 330.567.2

Rua Viúva Cláudio, 291 — Bairro Industrial do Jacaré
CEP: 20.970-031 — Rio de Janeiro (RJ)
Tels.: (21) 3278-8069 / 3278-8419
www.altabooks.com.br — altabooks@altabooks.com.br
www.facebook.com/altabooks — www.instagram.com/altabooks

Nota do Autor

O Dinheiro Não É a Raiz de Todo o Mal

Uma das maiores falhas do sistema educacional é omitir-se em relação à educação financeira de seus estudantes. Os educadores parecem pensar que o dinheiro tem algum viés de devoção ou quase uma religiosidade, e acreditam que *o amor ao dinheiro é a raiz de todo o mal*.

Como a maioria de nós sabe, não é o amor ao dinheiro que é tóxico, mas sua falta. Trabalhar em um emprego que odiamos é nocivo. Trabalhar arduamente e não ganhar o suficiente para sustentar nossa família é prejudicial. Para alguns, estar afundado em dívidas é puro infortúnio. Brigar com as pessoas que ama por causa de dinheiro é um desastre. Ser avarento é danoso. E cometer crimes ou atos imorais para conseguir dinheiro é ainda o pior disso tudo. O dinheiro em si não é uma alegoria do mal. Dinheiro é dinheiro.

Sua Casa Não É um Ativo

A falta de educação financeira também leva as pessoas a tomar atitudes insensatas ou a ser facilmente iludidas por pessoas ainda mais irresponsáveis. Em 1997, por exemplo, quando publiquei *Pai Rico, Pai Pobre* e disse: "Sua casa não é um ativo, mas um passivo", foram inúmeras as manifestações de protesto. Meu livro e eu fomos severamente criticados. Muitos que se autoproclamavam especialistas em finanças me atacaram na mídia. Dez anos mais tarde, em 2007, quando os mercados desmoronaram e milhões de pessoas tiveram problemas — muitas, nos Estados Unidos, perderam suas casas e declararam insolvência, outras tantas ficaram com saldos devedores de financiamentos imobiliários maiores do que o valor de mercado de seus imóveis —, esses indivíduos descobriram, dolorosamente, que, de fato, suas casas eram passivos, e não ativos.

Dois Homens, Uma Mensagem

Em 2006, meu amigo Donald Trump e eu escrevemos em *Nós Queremos que Você Fique Rico* sobre a razão de a classe média estar em declínio e as possíveis causas para que isso estivesse acontecendo. Dissemos que muitas dessas causas eram globais, governamentais e financeiras. O livro foi criticado pela mídia especializada em finanças; mas em 2007 quase tudo que dissemos se comprovou.

Conselhos Obsoletos

Hoje, muitos especialistas em finanças continuam a recomendar: "Trabalhe arduamente, poupe dinheiro, mantenha-se longe das dívidas, viva abaixo de suas possibilidades e mantenha uma carteira diversificada de investimentos." O problema desse tipo de aconselhamento é que ele é *ruim* — simplesmente porque é *obsoleto*. As regras do dinheiro mudaram em 1971. Hoje, há um novo capitalismo. Poupar, manter-se longe das dívidas e diversificar foram atitudes que funcionaram na era do velho capitalismo. Aqueles que seguiram o mantra "trabalhe muito e economize" do *velho capitalismo* terão dificuldades financeiras na era do *novo capitalismo*.

Informação versus Educação

Acredito que a falta de educação financeira no sistema educacional é cruel e perniciosa. Nos dias de hoje, ela é essencial à sobrevivência, não importando se somos ricos ou pobres, inteligentes ou não.

Como a maioria de nós sabe, vivemos na Era da Informação. O problema com esta era é a *sobrecarga de informação*. Hoje, há informação demais. A equação a seguir explica por que a educação financeira é crucial.

$$\text{Informação} + \text{Educação} = \text{Conhecimento}$$

Sem educação financeira as pessoas não conseguem transformar informação em conhecimento. Sem conhecimento financeiro as pessoas encontram sérias dificuldades para tomar decisões, e fazem coisas como comprar uma casa e achar que é um ativo. Ou poupar sem entender as flutuações da moeda. São incapazes de distinguir dívidas boas de ruins. Ou, ainda, não conseguem compreender por que os ricos pagam menos impostos e por que o investidor mais rico do mundo, Warren Buffett, não diversifica.

Siga o Líder

Sem conhecimento financeiro, as pessoas procuram por alguém que lhes diga o que fazer. E o que a maioria dos especialistas financeiros diz é: "Trabalhe com afinco, poupe, mantenha-se longe das dívidas, viva abaixo de suas possibilidades e invista em carteiras diversificadas." Como animais que seguem seus líderes, essas pessoas simplesmente pulam do penhasco em um oceano de incertezas financeiras, esperando conseguir nadar até o outro lado.

Este Livro Não Trata de Aconselhamento Financeiro

Este livro não lhe dirá o que fazer. Não trata de aconselhamento financeiro. É sobre tornar-se financeiramente independente. Desse modo, você poderá processar as próprias informações e encontrar o caminho para o nirvana financeiro.

Em suma, este livro refere-se a enriquecer tornando-se financeiramente proficiente. Ensina a desenvolver sua inteligência financeira.

Prefácio

Encontrei Robert Kiyosaki pela primeira vez em 2004. Escrevemos juntos um best-seller em 2006. No início de 2008, ficou evidente para mim que aquilo que Robert fala e escreve é mais importante do que nunca. A inteligência financeira é crucial a esta altura — e o discernimento de Robert nesta área é incontestável.

Observe o que discutimos em *Nós Queremos que Você Fique Rico* e analise o que vem acontecendo desde então. Acredito que sabíamos sobre o que falávamos. Agora, Robert está levando você um passo adiante com *Desenvolva Sua Inteligência Financeira* e, com certeza, será tão pressagiador quanto fomos em 2006. Aconselho você a prestar atenção ao que ele tem a dizer.

Robert e eu compartilhamos muitas preocupações, e temos trilhado caminhos similares como professores e homens de negócios. Ambos tivemos pais ricos que nos ajudaram a moldar nossas vidas, personalidades e nossos sucessos em várias áreas. Ambos somos empresários e investidores bem-sucedidos do mercado imobiliário porque fomos educados quanto ao aspecto financeiro, e, justamente por isso, entendemos o poder da educação financeira. Robert diz: "É a educação financeira que capacita as pessoas a processarem informações financeiras, transformando-as em conhecimento, mas a maioria não tem a proficiência financeira necessária para assumir o controle de sua vida." Concordo plenamente.

Algo sobre Robert que notei logo após conhecê-lo: ele não é complacente. Ele é muito bem-sucedido — porque ama o que faz. E isso também é algo que temos em comum. Você tem sorte, porque ele tem muitos bons conselhos para lhe dar. Como disse em *Nós Queremos que Você Fique Rico*, qual é o sentido de ter sabedoria e não compartilhá-la? Robert responde a esta questão em cada livro que escreve.

Um dos primeiros passos para ficar rico conhecendo melhor o funcionamento do mundo do dinheiro é tirar uma vantagem arrebatadora de cada oportunidade que se apresenta. Neste momento, você tem em mãos uma grande oportunidade. Meu conselho para você é ler *Desenvolva Sua Inteligência Financeira* prestando muita atenção. Você estará no caminho certo para conquistar grande sucesso e a independência financeira. A propósito, não se esqueça de *pensar grande*. Até lá, então, no pódio dos vencedores!

Donald J. Trump

Sumário

Nota do Autor — v
Prefácio — ix
Introdução: O Dinheiro Enriquece? — 1

Capítulo 1
   O que É Inteligência Financeira? — 5

Capítulo 2
   Os Cinco QIs Financeiros — 23

Capítulo 3
   QI Financeiro #1: Ganhar Mais Dinheiro — 35

Capítulo 4
   QI Financeiro #2: Proteger Seu Dinheiro — 53

Capítulo 5
   QI Financeiro #3: Controlar Seu Orçamento — 67

Capítulo 6
   QI Financeiro #4: Alavancar Seu Dinheiro — 91

Capítulo 7
   QI Financeiro #5: Obter Informações Melhores — 115

Capítulo 8
    A Completude do Dinheiro   135

Capítulo 9
    Proficiência Financeira   145

Capítulo 10
    Desenvolva Sua Inteligência Financeira   171

Introdução

O Dinheiro Enriquece?

A resposta é *não*. O dinheiro, por si só, não o torna rico. Todos nós conhecemos alguém que vai para o trabalho todos os dias, que trabalha por dinheiro ou que ganha dinheiro sem parar, mas que fracassa em enriquecer. Ironicamente, muitas dessas pessoas endividam-se ainda mais com cada centavo extra que ganham. Todos já ouvimos histórias de ganhadores da loteria, milionários instantâneos, que ficaram pobres tão subitamente quanto ricos. Também ouvimos histórias de pessoas que perdem parte ou tudo que possuem em investimentos variados, como imóveis, bolsa de valores ou em empreendimentos. Talvez você seja um deles. Até investimentos em ouro — o único dinheiro verdadeiro do mundo — podem custar dinheiro ao investidor.

Ouro foi meu primeiro investimento quando eu era um jovem adulto. Comecei a investir em ouro antes mesmo de começar a investir no mercado imobiliário. Em 1972, aos 25 anos, comecei comprando moedas de ouro quando a onça estava em, aproximadamente, US$70. Por volta de 1980, o preço do ouro já se aproximava de US$800 a onça. Um frenesi tomou conta das pessoas. A ganância sobrepujou a precaução. Os rumores eram de que o preço da onça atingiria US$2.500. Investidores gananciosos exageraram na compra de ouro, mesmo aqueles que nunca haviam comprado antes. Em vez de vender algumas de minhas moedas de ouro e lucrar um pouco com isso, adiei a venda, também esperando que o preço subisse ainda mais. Cerca de um ano depois, quando o ouro caiu abaixo de US$500 a onça, finalmente vendi minha última moeda. A partir de 1980, observei a queda contínua dos preços até que finalmente chegou a US$250 em 1999.

Embora eu não tenha ganhado muito dinheiro, negociar com ouro me ensinou algumas lições incomensuráveis sobre dinheiro. Uma vez que percebi que poderia perder dinheiro investindo em ativos reais, compreendi que não era o ouro, como ativo, que era valioso. Era a *informação* a respeito do ativo que, no final das contas, tornava alguém pobre ou rico. Em outras palavras, *não se trata de imóveis, ações, fundos, negócios ou dinheiro; o que faz uma pessoa rica é informação, conhecimento, sabedoria e experiência; ou seja, a inteligência financeira.*

Lições de Golfe ou Clubes de Golfe

Um amigo meu é fanático por golfe. Ele gasta milhares de dólares por ano com tacos ou qualquer novo aparato de golfe que surja no mercado. O problema é que ele não quer gastar nem mesmo um centavo com *aulas* de golfe. Assim, suas habilidades com o esporte permanecem as mesmas, ainda que possua os melhores e mais modernos equipamentos de golfe. Se investisse em aulas e usasse os tacos do ano anterior, provavelmente jogaria bem melhor.

O mesmo fenômeno insano se dá com o jogo do dinheiro. Bilhões de pessoas investem seu dinheiro suado em ativos como ações e imóveis, mas nada em informação. Por essa razão, seus ganhos financeiros permanecem quase sempre os mesmos.

Sem Fórmula Mágica

Este livro não é do tipo "enriqueça rapidamente", nem sobre alguma fórmula mágica de enriquecimento. Mostra como desenvolver sua inteligência financeira e aumentar seu QI financeiro. Trata de enriquecer, tornando-se mais proficiente. É sobre os *cinco QIs básicos* e necessários para ficar rico não importa o que esteja acontecendo com a economia, as ações ou o mercado imobiliário.

As Novas Regras do Dinheiro

Este é um livro sobre as novas regras do dinheiro, que mudaram em 1971. Por conta dessas mudanças, as antigas regras se tornaram ultrapassadas. Uma das razões pelas quais tantas pessoas estão com problemas financeiros é porque continuam operando de acordo com as velhas regras do dinheiro. Regras antigas do tipo *trabalhe arduamente, poupe dinheiro, saia das dívidas, invista em longo prazo em uma carteira de investimentos bem diversificada.* É preciso jogar pelas *novas regras* do dinheiro; mas, para isso, é necessário desenvolver sua inteligência financeira.

Após ler este livro, você estará apto a determinar se o melhor para você é seguir as *antigas* ou as *novas regras* do dinheiro.

Encontre Suas Habilidades Financeiras

O Capítulo 9 ensina a descobrir seu talento financeiro utilizando as três partes de seu cérebro. Como a maioria de nós sabe, essas partes são esquerda, direita e subconsciente.

A maioria das pessoas não enriquece porque a parte subconsciente é a mais poderosa das três. Por exemplo, podemos estudar o mercado imobiliário e saber exatamente o que fazer por meio dos hemisférios esquerdo e direito do cérebro, mas o subconsciente assume o controle e diz: "Ah, isso é muito arriscado! E se você perder dinheiro? E se cometer um erro?" Nesse exemplo, a emoção do medo leva o subconsciente a trabalhar contra os desejos dos hemisférios direito e esquerdo. Ou seja, para desenvolver talento e habilidade em finanças, é importante, antes de qualquer coisa, saber como fazer com que as três partes de seu cérebro trabalhem em harmonia, e não em oposição. Este livro explica como fazer isso.

Resumo

Muitas pessoas acreditam que é preciso dinheiro para ganhá-lo. Isso não é verdade. Lembre-se sempre de que você pode perder dinheiro investindo em ouro; pode perder em qualquer coisa. Afinal, não é ouro, ações, imóveis, trabalho árduo ou dinheiro o que o torna rico — mas *seu conhecimento* sobre estas coisas. No final das contas, é sua inteligência financeira que o enriquece.

Continue lendo e fique ainda mais rico ao se tornar financeiramente proficiente.

Capítulo 1

O que É Inteligência Financeira?

Quando eu tinha 5 anos, fui levado a um hospital para uma cirurgia de emergência. Pelo que sei, tive uma infecção séria em meus ouvidos, decorrente de uma catapora. Ainda que tenha sido uma experiência assustadora, guardo uma carinhosa lembrança de meu pai, meu irmão mais novo e minhas duas irmãs acenando para mim do lado de fora da janela do hospital, no gramado, enquanto eu estava acamado me recuperando. Minha mãe não estava lá. Ela estava em casa, também confinada em uma cama, lutando contra uma doença cardíaca.

Em menos de um ano, meu irmão mais novo foi levado ao hospital depois de ter caído de uma prateleira na garagem e batido com a cabeça. Minha irmã mais nova foi a seguinte, por causa de uma cirurgia no joelho. E minha irmã caçula, Beth, um bebê recém-nascido, teve um problema de pele que intrigou até os próprios médicos.

Foi um ano difícil para meu pai. Ele foi o único de nós, entre os seis da família, que não sucumbiu a um desafio médico. A parte boa foi que todos nos recuperamos e tivemos uma vida saudável. A ruim, que as contas médicas não paravam de chegar. Meu pai não ficou doente naquele ano, mas contraiu uma doença incapacitante: dívidas médicas enormes.

Na época, meu pai era estudante de pós-graduação na Universidade do Havaí. Ele foi um aluno brilhante, recebera seu grau de bacharel em apenas dois anos e tinha o sonho de se tornar professor universitário. Mas, com uma família de seis pessoas, um financiamento imobiliário e contas médicas altíssimas para pagar, abandonou seu sonho para assumir a função de secretário de educação na pequena cidade de Hilo, na Ilha do Havaí. Para fazer a mudança da família de uma ilha para outra, ele foi obrigado a contrair um empréstimo com o próprio pai. Foi uma época difícil para meu pai e nossa família.

Embora ele tenha alcançado um tremendo sucesso profissional, finalmente concluindo o doutorado, suspeito que o fato de não haver realizado seu sonho de se tornar professor universitário o perseguira até o fim de seus dias. Com frequência, ele dizia: "Quando vocês, meninos, saírem de casa, vou voltar para a escola e fazer o que amo — ensinar."

Em vez de ser professor, no entanto, ele se tornou secretário de educação para o estado do Havaí, um posto administrativo. Mais tarde, concorreu a um cargo no Executivo, abaixo apenas do governador, mas perdeu. Com 50 anos, subitamente se viu desempregado. Logo após a eleição, minha mãe morreu, com 48 anos, devido ao coração debilitado. Meu pai nunca se recuperou desta perda.

Uma vez mais, os problemas financeiros se amontoaram. Sem emprego, ele decidiu mexer no dinheiro que havia poupado para a aposentadoria e investiu em uma franquia nacional de sorvetes. E perdeu todo o dinheiro.

Ao envelhecer, meu pai sentiu que estava muito atrás de seus pares, e sua carreira de uma vida estava terminada. Sem o posto de autoridade máxima em educação, perdeu também sua identidade. Tornou-se mais e mais zangado com seus colegas ricos, que haviam enveredado pelo mundo dos negócios, e não da educação, como ele fizera. Criticando-os severamente, dizia com frequência: "Dediquei minha vida à educação das crianças do Havaí e o que consegui? Nada. Meus amigos *filhinhos de papai* ficaram ainda mais ricos e consegui o quê? Nada!"

Nunca saberei por que ele não voltou à universidade para lecionar. Acredito que estava tentando incisivamente enriquecer rápido para compensar o tempo perdido. Acabou buscando atividades excêntricas e perdia tempo se relacionando com golpistas. Nenhum desses esquemas de enriquecimento rápido deu certo.

Não fosse por um ou outro quebra-galho e a aposentadoria oficial, ele teria acabado na casa de um dos filhos. Poucos meses antes de morrer de câncer, aos 72 anos, meu pai me chamou ao leito de morte e me pediu desculpas por não ter muito para deixar a seus filhos. Coloquei minha cabeça entre suas mãos e choramos juntos.

Dinheiro Insuficiente

Meu pai pobre teve problemas com dinheiro durante toda a vida. Não importava quanto ganhasse, seu problema era *não ter dinheiro suficiente.* Sua inabilidade para resolver esse problema causou-lhe uma profunda dor até o dia em que morreu. De forma trágica, ele se sentia medíocre — profissionalmente e como pai.

Por pertencer ao mundo acadêmico, fez o possível para colocar seus problemas de lado e dedicar sua vida a uma causa maior do que o dinheiro. Insistiu no ponto de vista de que o dinheiro era irrelevante, mesmo quando importava. Embora tenha sido um grande homem, marido e pai, além de um educador brilhante, foi essa coisa chamada dinheiro que frequentemente o perturbou, machucando-o silenciosamente; e, no final, é muito triste que tenha sido o parâmetro que usara para avaliar a própria vida. Ainda que fosse muito inteligente, meu pai pobre nunca encontrou uma solução para seus problemas financeiros.

Dinheiro Demais

Meu pai rico, que começou a me ensinar sobre dinheiro quando eu tinha 9 anos, também tinha problemas financeiros. Mas ele os resolveu de um modo diverso do meu pai pobre. Ele admitia que o dinheiro era importante e, como percebeu isso, esforçava-se, a cada oportunidade, para aumentar seu QI financeiro. Para ele, isso significava enfrentar seus problemas financeiros e aprender com o processo. Meu pai rico não era nem de perto tão douto quanto meu pai pobre, mas, como resolvia seus problemas financeiros de maneira diferente, desenvolvendo sua inteligência financeira, seus problemas eram *dinheiro demais.*

Com dois pais, um rico e um pobre, aprendi que, rico ou pobre, todos temos problemas financeiros.

Os problemas dos pobres são:

1. Não ter dinheiro suficiente
2. Usar crédito para suplementar esta falta
3. O aumento do custo de vida
4. Quanto mais ganham, mais impostos pagam
5. Medo das emergências
6. Conselhos financeiros ruins
7. Dinheiro insuficiente para a aposentadoria

Os problemas dos ricos são:

1. Ter dinheiro demais
2. Necessidade de mantê-lo seguro e bem investido
3. Não distinguir se as pessoas gostam deles ou de seu dinheiro
4. Ter necessidade de contar com conselheiros financeiros astutos
5. Criar filhos mimados
6. Planejar a herança e a distribuição do dinheiro
7. Impostos governamentais excessivos

Meu pai pobre teve problemas financeiros durante toda a vida. Não importava quanto dinheiro ganhasse, seu problema continuava sendo a *insuficiência de dinheiro*. Meu pai rico também teve problemas. Mas era ter *dinheiro demais*. Qual é o problema financeiro que você quer?

Soluções Ruins para Problemas Financeiros

Ter aprendido ainda em tenra idade que todos temos problemas financeiros, não importa quão rico ou pobre sejamos, foi uma lição muito importante para mim. Muitas pessoas acreditam que se tivessem dinheiro em excesso seus problemas acabariam. Mal sabem que muito dinheiro apenas os aumenta.

Um de meus comerciais favoritos é o de uma empresa financeira que começa com o rapper MC Hammer dançando com algumas mulheres lindas, uma Ferrari e um Bentley, e uma mansão gigantesca atrás dele. No fundo, mercadorias fabulosas são colocadas na mansão. A música de Hammer, *U Can't Touch This* ("Você não pode tocar nisto", em tradução livre), acompanha todo o movimento. Então a tela fica preta e aparecem as palavras "15 minutos mais tarde". Na cena seguinte, MC Hammer está sentado na calçada em frente à mesma mansão, cabisbaixo, com a cabeça entre as mãos, próximo a um letreiro que diz "Execução de Financiamento". O anunciante diz: "A vida passa rapidamente. Estamos aqui para ajudá-lo!"

O mundo está cheio de MC Hammers. Todos já ouvimos falar de ganhadores de loteria que embolsaram milhões e, poucos anos depois, acabaram afundados em dívidas. Ou sobre um jovem atleta profissional que vive em uma mansão enquanto está em atividade, e depois, com o fim de seus dias de glória, acaba embaixo de uma ponte. Ou ainda sobre um jovem cantor de rock multimilionário aos 20 anos e que aos 30, procura emprego. (Ou o rapper que vende produtos financeiros que muito provavelmente já usava quando perdeu seu dinheiro.)

O dinheiro, por si só, não resolve seus problemas financeiros. É por isso que dar dinheiro aos pobres não é a solução. Em muitos casos, isso prolonga o problema e cria ainda mais pessoas pobres. Veja como exemplo a ideia da assistência social do governo norte-americano — divulgada como *bem-estar social.* Desde a Grande Depressão, em 1929, até 1996, o governo norte-americano garantiu dinheiro aos pobres do país, não importando suas condições. Tudo que você tinha que fazer era se qualificar para o programa de pobreza e receber um cheque do governo — perpetuamente. Se mostrasse iniciativa, arranjasse um emprego e ganhasse mais do que o limite, o governo cortaria seus benefícios. Como, ao trabalhar, o pobre teria outros custos associados com os quais não se preocupava antes — tais como roupas, uniformes, creches, transportes —, em muitos casos acabavam com menos dinheiro do que antes de ter um emprego — e, naturalmente, com muito menos tempo. Melhor não trabalhar. Esse sistema beneficiou os preguiçosos e puniu os que mostravam iniciativa. O sistema criou ainda mais pobres.

Trabalho árduo não resolve problemas financeiros. O mundo está cheio de pessoas que trabalham muito e nada possuem. Trabalhadores dedicados que ganham dinheiro, mas, mesmo assim, se afundam cada vez mais em dívidas, o que os leva a trabalhar ainda mais pesado para ganhar ainda mais dinheiro.

Educação não resolve problemas financeiros. O mundo está cheio de pessoas pobres altamente cultas. Elas são chamadas de socialistas.

Um emprego não resolve problemas financeiros. Existem milhões de pessoas que ganham apenas o suficiente para sobreviver. Muitas que estão empregadas não conseguem comprar as próprias casas, ter assistência médica adequada, educação ou mesmo dinheiro suficiente destinado à aposentadoria.

O que Resolve os Problemas Financeiros?

Inteligência financeira. Em termos simples, inteligência financeira é aquela parte de nossa inteligência total que usamos para resolver problemas financeiros. Alguns exemplos desses problemas são:

1. "Eu não ganho o suficiente."
2. "Estou atolado em dívidas."
3. "Não posso comprar uma casa."
4. "Meu carro quebrou. Como arrumo dinheiro para consertá-lo?"
5. "Tenho $10 mil. Em que devo investir?"
6. "Meu filho quer ir para a faculdade, mas não temos dinheiro."
7. "Não tenho dinheiro suficiente para me aposentar."
8. "Não gosto de meu trabalho, mas não posso me dar ao luxo de sair dele."
9. "Estou aposentado e, a cada dia que passa, com menos dinheiro."
10. "Não posso pagar minha cirurgia."

A inteligência financeira resolve esses e outros problemas. Infelizmente, se ela não está desenvolvida à altura para resolver esses problemas, eles persistem. Não desaparecem. Muitas vezes até pioram, gerando ainda mais problemas. Por exemplo, há milhões de pessoas que não possuem dinheiro reservado para a aposentadoria. Se não conseguem resolver esse problema, ele se tornará ainda pior à medida que as pessoas envelhecerem e necessitarem de dinheiro para cuidados médicos. Goste você ou não, dinheiro afeta o estilo e a qualidade de vida — assim como permite conveniência e facilidade nas escolhas. A liberdade de escolher o que o dinheiro oferece pode significar a diferença entre pedir carona nas estradas ou viajar de ônibus... ou de avião particular.

Resolver Problemas Financeiros O Torna Mais Inteligente

Quando eu era garoto, meu pai rico me disse: "Problemas com dinheiro o tornam mais inteligente... se você resolvê-los." Ele também me disse: "E se solucioná-los, sua inteligência financeira aumentará. Quando ela se desenvolve, você se torna mais rico. Se não resolver seus problemas, ficará mais pobre. E problemas não resolvidos, com frequência, só farão aumentar." Se quiser desenvolver sua inteligência financeira, tem que ser um solucionador de problemas. Sem isso, nunca será rico. Na verdade, você ficará mais pobre quanto maior for o tempo que o problema persistir sem solução."

Meu pai rico usava o exemplo de uma dor de dente para ilustrar o que queria dizer com um problema desencadeando outro. Ele dizia: "Ter um problema financeiro é como ter uma dor de dente. Se não lidar com ela, a dor o fará se sentir muito mal. Se você estiver mal, provavelmente não trabalhará direito, porque está irritado. Não tratar dos dentes pode conduzi-lo a complicações médicas porque é fácil para os germes crescerem e se espalharem a partir do problema de sua boca. Um dia, você perde o emprego por causa de sua doença crônica. Sem um emprego, não pode pagar o aluguel. Se deixar de resolver o problema do aluguel, estará na rua, sem-teto, com a saúde deficiente, comendo do lixo *e* ainda estará com dor de dente."

Embora tal exemplo seja extremo, esta história me marcou. Ainda bem jovem, percebi a importância de resolver problemas e o efeito dominó causado pela não resolução deles.

Muitas pessoas não resolvem seus problemas financeiros quando são pequenos, no estágio inicial da dor de dente. Em vez de resolvê-los, elas os agravam ao ignorá-los ou não solucioná-los ainda na raiz. Por exemplo, quando ficam com o dinheiro curto, muitas pessoas utilizam cartões de crédito para complementar o que falta. Rapidamente acabam com contas do cartão se acumulando e credores perseguindo-as em busca de pagamento. Para resolver esse problema, fazem ainda mais empréstimos ou vendem a própria casa. A questão é que continuam a usar o cartão de crédito mesmo depois disso. Só que agora não possuem mais uma casa própria ou então devem dinheiro a mais credores do que antes.

Para resolver esse problema, conseguem novos cartões de crédito para pagar os antigos. Ao se sentirem deprimidas por causa dos problemas que se amontoam, usam os novos cartões para sair de férias e viajar. A questão é que a raiz do problema ainda está lá, tal qual a dor de dente. Essa raiz é a falta de proficiência financeira, e o problema gerado por sua ausência é a inabilidade de resolver problemas financeiros simples. Em vez de atacar o problema pela raiz — hábitos de consumo, nesse caso —, muitos o ignoram. Se não arrancar a erva daninha pela raiz, e apenas cortar o topo, ela voltará ainda mais forte — e rapidamente. Isso também é verdade em relação a seus problemas financeiros.

Ainda que esses exemplos pareçam exagerados, não são incomuns. A questão é que problemas financeiros são o *problema*, mas também a *solução*. Se as pessoas conseguem resolvê-los, elas se tornam mais inteligentes. Seus QIs financeiros aumentam. Uma vez que se tornam mais inteligentes financeiramente, podem resolver problemas ainda maiores. E se podem lidar com situações mais complexas, elas se tornam ainda mais ricas.

Gosto de usar a matemática como exemplo. Muitas pessoas odeiam esta disciplina. Como é sabido, se não resolver as lições de matemática, não poderá lidar com problemas matemáticos. Se não puder decifrá-los, então não passará no teste. Se não passar no teste, terá uma nota baixa na disciplina. Esta nota baixa pode custar seu diploma do Ensino Médio. Então, o único emprego que conseguirá pagará um salário-mínimo. Esse é um exemplo de como um pequeno problema pode se tornar enorme.

Por outro lado, se praticar diligentemente a resolução de problemas matemáticos, você se tornará tão versado que será capaz de resolver equações mais complexas. Depois de anos de trabalho árduo, será um gênio da matemática, e as coisas que antes pareciam difíceis parecerão simples. Todos temos de começar com 2 + 2. Aqueles que conseguem não param por aí.

A Causa da Pobreza

A pobreza é, simplesmente, ter mais *problemas* do que *soluções*. A pobreza é causada pela sobrecarga de problemas que a pessoa não consegue resolver. Nem todas as causas da pobreza são financeiras. Podem ser problemas com drogas, um casamento com a pessoa errada, moradia em uma vizinhança comandada pelo crime, falta de especialização para o trabalho, falta de transporte ou incapacidade para cuidar da saúde.

Alguns problemas financeiros, como dívida excessiva e baixos salários, são gerados por circunstâncias que vão além da habilidade do indivíduo na resolução de problemas; e que têm muito mais a ver com o governo e a ilusão de que a economia está bem.

Por exemplo, uma das causas dos salários baixos é a preponderância da oferta de vagas de empregos no setor de serviços. Nos Estados Unidos, os empregos mais bem pagos da indústria estão se movendo para fora do país. Quando eu era criança, a General Motors era o maior empregador dos Estados Unidos. Hoje, é o Walmart. Todos sabemos que o Walmart não é conhecido por pagar salários altos — ou por ter bons planos para seus aposentados.

Cinquenta anos atrás, era possível para uma pessoa sem um alto grau de instrução sair-se bem financeiramente. Mesmo que tivesse apenas um diploma de nível médio, um jovem poderia conseguir um trabalho relativamente bem pago na fabricação de aço ou carros. Hoje, as oportunidades de emprego estão na fabricação de hambúrgueres.

Cinquenta anos atrás, as empresas manufatureiras ofereciam benefícios como assistência médica e aposentadoria complementar. Hoje, milhões de trabalhadores ganham menos, enquanto, ao mesmo tempo, necessitam de mais para cobrir as próprias despesas médicas e poupar o suficiente para se aposentar. Todo dia, esses problemas financeiros não são resolvidos e tornam-se maiores. E têm origem em um problema ainda maior, que vai além do poder individual de mudar ou resolver. Surgem organicamente de políticas econômicas ineficientes.

As Regras Mudaram

Em 1971, o então presidente dos Estados Unidos, Richard Nixon, mudou o padrão-ouro. Esta foi uma política econômica infeliz que alterou as regras do dinheiro. Ela representa uma das maiores mudanças financeiras da história; mesmo assim, poucas pessoas sabem dessa mudança e de seus efeitos no mundo econômico de hoje. Uma das razões pelas quais tantas pessoas estão em dificuldades financeiras atualmente é por causa das ações de Nixon.

Em 1971, o dólar morreu porque deixou de ser dinheiro — tornou-se moeda corrente. Há uma grande diferença entre dinheiro e moeda corrente.

A palavra "corrente" significa movimento, como uma corrente elétrica ou oceânica. Em termos simples, uma moeda corrente precisa se manter em movimento. Se parar de se mover, rapidamente perderá valor. Se a perda de valor for grande, as pessoas deixarão de aceitá-la. Se deixarem de aceitá-la, o valor da moeda corrente mergulhará em direção ao zero. Depois de 1971, o dólar começou a se movimentar para o zero.

Historicamente, todas as moedas correntes, em algum momento, foram para o zero. Ao longo da história, vários governos imprimiram dinheiro. Durante a Revolução, o governo norte-americano imprimiu uma moeda corrente conhecida como Continental. Não levou muito tempo para que seu valor fosse zero.

Após a Primeira Guerra Mundial, o governo da Alemanha imprimiu dinheiro na esperança de pagar suas dívidas. A inflação explodiu e a poupança da classe média alemã evaporou. Em 1933, frustrado e falido, o povo alemão elegeu e colocou no poder Adolf Hitler, na esperança de que ele resolvesse os problemas.

Também em 1933, Franklin Roosevelt criou a Previdência Social para resolver os problemas financeiros do povo norte-americano. Embora muito populares, a Previdência Social e a Assistência à Saúde Pública (*Social Security* e *Medicare*) são desastres financeiros prontos para se transformar em imensos problemas sem precedentes. Se o governo norte-americano continuar a imprimir dinheiro por questões políticas ou sociais, ou seja, moeda corrente sem lastro, o valor do dólar desaparecerá rapidamente e o problema financeiro só se tornará ainda maior. Esse não é um problema futuro. Está acontecendo agora. De acordo com um relatório recente da Bloomberg, o dólar perdeu 13,2% do poder de compra desde que George W. Bush assumiu a presidência, em janeiro de 2001.

A mudança de Nixon é uma das razões de vermos tantas pessoas endividadas, assim como o próprio governo norte-americano. Quando as regras do dinheiro mudaram em 1971, poupadores tornaram-se perdedores — e devedores, vencedores. Uma nova forma de capitalismo emergiu. Hoje, quando escuto alguém dizer: "Você precisa poupar mais dinheiro", ou, "Economize para a aposentadoria", imagino se a pessoa percebe que as regras do dinheiro mudaram.

Sob as antigas regras do capitalismo, era financeiramente inteligente poupar *dinheiro*. Mas, com as novas, é insanidade financeira economizar *moeda corrente*. Não faz sentido estagná-la. No novo capitalismo, ela deve continuar se movendo. Se uma moeda dessas para de fluir, ela se desvaloriza mais e mais. Uma *moeda corrente*, como uma corrente elétrica, precisa se mover de um ativo para outro tão rápido quanto possível. Seu propósito é adquirir ativos, que ou se valorizam ou produzem fluxo de caixa. Uma moeda corrente tem que se mover rapidamente para adquirir ativos reais com valor real, porque ela, em si, declina rapidamente de valor. O preço de ativos reais como ouro, petróleo, prata, imóveis e ações infla porque o valor da moeda corrente está declinando. Seu valor intrínseco não se modifica; apenas a quantidade de moeda corrente necessária para adquiri-los.

A lei de Gresham diz: "Quando dinheiro ruim está em circulação, o dinheiro bom se afasta." Em 1971, os Estados Unidos começaram a inundar o mundo com dinheiro ruim. Na verdade, no novo capitalismo, faz mais sentido emprestar dinheiro hoje e pagar com dólares mais baratos amanhã. O governo norte-americano faz isso. Por que não deveríamos fazer o mesmo? Se o governo está endividado, como o povo não estaria? Quando você não pode mudar um sistema, a melhor forma de ser bem-sucedido é saber manipulá-lo.

Por causa da mudança de 1971, o preço dos imóveis aumentava à medida que o dólar se desvalorizava. O mercado de capitais subiu porque as pessoas buscavam um porto seguro para seu dinheiro. Embora economistas deem a isso o nome de *inflação*, trata-se, na verdade, de *desvalorização*. Isso faz com que os donos de imóveis se sintam seguros porque aparentemente o preço de suas casas sobe. Na verdade, o poder de compra decresce enquanto o patrimônio líquido dos proprietários *parece* que cresce. Preços mais altos das casas e salários menores tornam impossível para os jovens a aquisição do primeiro imóvel. Se os jovens não perceberem que as regras do dinheiro mudaram, ficarão em uma situação muito pior do que a de seus pais, afinal, a moeda continua a se desvalorizar.

Outra Mudança

Mais uma alteração nas regras do dinheiro ocorreu em 1974. Antes de 1974, a aposentadoria de um empregado estava garantida por quanto tempo vivesse. Como você provavelmente já sabe, esse já não é mais o caso.

Planos de aposentadoria que pagam a um empregado pela vida inteira são chamados de *benefícios definidos* (BD). Tais planos são, simplesmente, muito caros. Depois de 1974, um novo tipo de pensão emergiu nos Estados Unidos e se espalhou pelo mundo. São os planos de *contribuições definidas* (CD). Simplificando, os planos CD não garantem um *pagamento* pelo resto da vida. Você só recebe de volta aquilo com que você e, eventualmente, seu empregador contribuíram — *se* você e seu empregador contribuírem com alguma coisa.

O *USA TODAY* descobriu, em uma pesquisa, que o maior medo dos Estados Unidos hoje não é o terrorismo, mas ficar sem dinheiro na aposentadoria.

Uma das razões para esse medo horripilante remonta à mudança das regras do dinheiro ocorrida em 1974. E o medo é válido. O sistema educacional no Brasil ou nos Estados Unidos não equipa seus cidadãos com o conhecimento necessário para a aposentadoria. Se as escolas ensinam alguma coisa sobre dinheiro, não vai além de uma ou outra informação sobre contar moedas — o que é totalmente insuficiente para administrar os problemas financeiros que enfrentamos. Além disso, a maioria das pessoas não percebe que as regras do dinheiro mudaram e que, se são poupadoras, serão perdedoras. Planos de aposentadoria com fundos insuficientes serão a próxima grande crise dos Estados Unidos e de muitos outros do mundo.

Redes de Segurança Governamentais?

Essa falta de segurança financeira futura nos conduz às previdências oficiais e aos sistemas públicos de saúde, que são as redes de segurança criadas para resolver os problemas financeiros das pessoas que não sabem lidar com os seus. Mas, em vários lugares do mundo, ambos estão falidos ou na iminência. Esta é uma questão complexa, que demanda proficiência financeira para ser resolvida.

Por que os Ricos Ficam Ainda Mais Ricos?

Que as regras do dinheiro mudaram, que essas mudanças o tornam mais pobre e que estão fora de controle, tudo isso pode parecer injusto. E é! O segredo dos ricos é reconhecer que o sistema é injusto, aprender as novas regras e usá-las a seu favor. Isso exige inteligência financeira, o que *só* pode ser alcançado na resolução de problemas financeiros.

Meu pai rico me disse: "Os ricos ficam cada vez mais ricos porque aprendem a resolver problemas financeiros. Eles veem esses problemas como oportunidades para aprender, crescer e se tornar mais sagazes e ricos. Os ricos sabem que, quanto maior o QI financeiro, maior o problema financeiro que se pode administrar e, dessa forma, mais dinheiro podem fazer. Em vez de fugir, evitar ou fingir que não existem dificuldades financeiras, eles dão as boas-vindas aos problemas porque sabem que são oportunidades para se tornar ainda mais inteligentes e competentes. É por isso que enriquecem ainda mais."

Como os Pobres Lidam com os Problemas Financeiros

Ao descrever os pobres, o pai rico disse: "Os pobres veem problemas financeiros apenas como problemas. Muitos se sentem *vítimas do dinheiro*. Acham que são os *únicos* com dificuldades. Eles acham que, se tivessem mais dinheiro, seus problemas financeiros acabariam. Mal sabem que sua atitude em relação a isso *é* o problema. Suas atitudes os criam. Sua inabilidade em resolvê-los ou a negação de enfrentá-los apenas os prolongam e os tornam ainda mais complexos. Em vez de se tornar ricos, eles ficam ainda mais pobres. Em vez de desenvolver o QI financeiro, a única coisa que os pobres aprimoram são os problemas."

Como a Classe Média Lida com os Problemas Financeiros

Enquanto os pobres são *vítimas* do dinheiro, a classe média é *prisioneira*. Ao descrevê-la, o pai rico disse: "A classe média lida com seus problemas financeiros de modo diferente. Em vez de resolvê-los, pensa que pode *ser mais inteligente do que os problemas*. A classe média gasta dinheiro para ir à escola, assim pode conseguir um bom emprego. A maioria é esperta o suficiente para ganhar dinheiro e construir um muro de proteção, uma barreira, uma zona de conforto, entre eles e os problemas. Compram uma casa, compartilham carona para o trabalho, agem com cautela, sobem degrau a degrau a hierarquia corporativa e poupam para a aposentadoria. Eles acreditam que a formação acadêmica ou a educação profissional serão suficientes para isolá-los do mundo cruel e árduo do dinheiro."

"Com cerca de 50 anos", disse o pai rico, "muitas pessoas de classe média descobrem que são prisioneiras dos próprios escritórios. Algumas são empregadas de valor. Têm experiência. Ganham dinheiro suficiente e têm segurança no trabalho. Ainda assim, no fundo, sabem que estão em uma armadilha financeira e não têm a proficiência necessária para escapar da prisão de seus escritórios. Esperam sobreviver alguns anos mais no trabalho, 10 ou 15, assim poderão se aposentar e começar a viver; com um orçamento mais apertado, claro."

O pai rico disse: "A classe média pensa que pode superar os problemas financeiros se for inteligente do ponto de vista acadêmico ou profissional. A maioria não tem educação financeira, e por isso tende a valorizar a segurança financeira, em vez de assumir desafios em busca da independência. Em vez de se transformar em empresários, trabalham para eles. Em vez de investir, entregam o dinheiro a especialistas financeiros que o administram. Em vez de aumentar seu QI financeiro, elas se mantêm ocupadas, escondidas em seus escritórios."

Como os Ricos Lidam com os Problemas Financeiros

Observando a inteligência financeira, torna-se fácil perceber que existem *cinco QIs essenciais* que um indivíduo deve desenvolver para ficar rico. Este livro aborda esses cinco QIs.

Este livro é sobre completude. Quando a maioria das pessoas pensa na palavra "completude", imagina um conceito ético. Não é isso que quero dizer quando a uso. Completude é totalidade. De acordo com o dicionário Houaiss, é: "Qualidade, estado ou propriedade do que é completo, perfeito, acabado." Uma pessoa que domina os cinco QIs sobre os quais escrevo neste livro é alguém que atingiu a completude financeira.

Quando os ricos enfrentam problemas financeiros, eles os resolvem recorrendo à completude financeira, desenvolvida ao longo de anos encarando e resolvendo os problemas com seus cinco QIs. Se os ricos não souberem a resposta para seus problemas financeiros, não jogam a toalha nem vão embora. Procuram especialistas que podem ajudá-los a resolvê-los. No processo, eles se tornam financeiramente mais inteligentes e muito mais preparados para resolver o *próximo* problema que venha a ocorrer. Os ricos não desistem. Eles aprendem. E, ao aprender, tornam-se ainda mais ricos.

Problemas Financeiros Alheios

O pai rico também disse: "Muitas pessoas trabalham para pessoas ricas, resolvendo problemas financeiros de outras pessoas." Por exemplo, um contador vai para o trabalho a fim de registrar os fatos que têm implicação financeira para uma pessoa rica. O vendedor vende os produtos de uma pessoa rica. O gerente administra os negócios de uma pessoa rica. A secretária atende às ligações de uma pessoa rica e trata com respeito os clientes dessa pessoa. O zelador mantém o prédio do homem rico funcionando bem. Um advogado protege o homem rico de outros advogados e processos. Um especialista em taxas e tributos protege o dinheiro do homem rico dos impostos. E o banqueiro mantém o dinheiro do homem rico seguro.

O ponto que o pai rico queria frisar é que a maioria das pessoas trabalha para resolver os problemas financeiros de outras. Mas quem resolve os problemas financeiros dos trabalhadores? A maioria das pessoas vai para casa e encara muitos problemas — e o dinheiro é um deles. Se alguém fracassa em administrá-los em casa, como a dor de dente, eles acabam levando a uma série de outros.

Muitas pessoas pobres e de classe média trabalham para os ricos e falham em resolver os próprios problemas em casa. Em vez de olhar para os problemas financeiros como oportunidades para se tornar mais competentes, vão para casa, sentam-se em seus sofás, tomam um drinque, assam uma carne e assistem à televisão. Na manhã seguinte, retornam ao trabalho, uma vez mais, para resolver os problemas de outras pessoas e fazer alguém ainda mais rico.

A Solução do Pai Pobre

Meu pai pobre tentou resolver seus problemas financeiros indo para a escola. Ele gostava da escola, dava-se bem lá e se sentia seguro. Ele conseguiu vários títulos, inclusive o de doutor. Com seus diplomas de nível superior, procurou um emprego que pagasse bem. Tentou superar seus problemas financeiros ao se tornar acadêmica e profissionalmente competente, mas fracassou em se tornar mais inteligente em termos financeiros. Ele era um homem de excelente formação e trabalhava arduamente. Infelizmente, o fato de ser bem formado e trabalhador não se mostrou suficiente para resolver seus problemas, os quais simplesmente se tornaram ainda maiores à medida que passava a ganhar mais, em razão de evitá-los. Meu pai pobre tentou resolvê-los no âmbito acadêmico e profissional.

A Solução do Pai Rico

Meu pai rico esperava pelos desafios financeiros, por isso abriu vários negócios e investiu ativamente. Muitas pessoas pensavam que ele agia assim apenas para ganhar mais dinheiro. Na verdade, ele o fazia porque amava desafios. Ele procurava por problemas financeiros para resolvê-los, não apenas pelo dinheiro, mas para se tornar ainda mais competente e desenvolver sua inteligência financeira. O pai rico sempre usava o jogo de golfe como uma metáfora para explicar sua filosofia financeira. Ele dizia: "O dinheiro é minha pontuação. Minhas demonstrações financeiras são meu cartão de pontuação. Eles dizem o quão competente sou e quão bem me saio no jogo." Ou seja, o pai rico ficou ainda mais rico porque o jogo do dinheiro era seu — e ele queria ser o melhor possível. À medida que envelhecia, ele se tornava cada vez melhor nisso. Seu QI financeiro aumentou muito, e o dinheiro também.

O Jogo do Dinheiro

Nos capítulos seguintes, falaremos dos cinco QIs que é preciso estimular para desenvolver sua inteligência financeira e atingir a completude financeira. Ainda que o desenvolvimento dos cinco QIs não seja fácil e possa tomar uma vida inteira, a boa notícia é que poucas pessoas os conhecem, e menos ainda têm o ímpeto de desenvolver seus QIs financeiros e melhorar a pontuação. Você já está mais bem preparado do que 95% da sociedade para resolver seus problemas financeiros apenas por saber da existência desses QIs.

Pessoalmente, dedico meus dias a melhorá-las. Para mim, minha educação financeira nunca para. No início, meu processo para aumentar meu QI financeiro foi difícil e desajeitado — exatamente como meu jogo de golfe. Houve uma série de fracassos, um monte de dinheiro perdido, muita frustração e uma montanha de dúvidas.

No começo, meus colegas ganhavam mais dinheiro do que eu. Hoje, faço muito mais dinheiro do que a maioria deles. Ainda que eu realmente goste de dinheiro, trabalho principalmente pelo desafio. Adoro aprender. E trabalho porque adoro o jogo do dinheiro e quero ser o melhor possível nele. Eu poderia ter me aposentado há muito tempo. Tenho dinheiro mais do que suficiente. Mas o que eu faria se me aposentasse? Jogaria golfe? Esse não é o meu jogo. Golfe é o que faço para me divertir. Negócios, investimentos e fazer dinheiro são meu jogo. Eu o adoro. Sou apaixonado por ele. Assim, se me aposentasse, perderia minha paixão — e o que é a vida sem paixão?

Quem Deveria Jogar o Jogo do Dinheiro?

Será que penso que todos deveriam jogar esse jogo? Minha resposta é: *Goste ou não, todos já o estão jogando*. Rico ou pobre, todos estamos envolvidos no jogo do dinheiro. A diferença é que algumas pessoas jogam para valer, conhecem as regras e as usam em seu benefício, muito mais do que outras. Algumas pessoas são mais dedicadas, apaixonadas e compromissadas com a aprendizagem e o sucesso. Quando se trata do jogo do dinheiro, a maioria das pessoas joga — se é que percebem — para não perder, em vez de jogar para ganhar.

Como todos estamos envolvidos com o jogo do dinheiro de alguma forma, poderíamos fazer as perguntas a seguir, que, com certeza, seriam melhores:

- Você é um estudante do jogo do dinheiro?
- Tem-se dedicado a ganhar esse jogo?
- É apaixonado por aprender?
- Está decidido a ser o melhor que pode ser?
- Quer ser tão rico quanto possível?

Se sua resposta é sim, então continue lendo. Este livro é para você. Em caso negativo, há livros mais fáceis de ler e jogos mais simples de ser jogados. Exatamente como no jogo de golfe, há muitos profissionais, mas apenas alguns poucos desses profissionais são *ricos*.

Resumo

Em 1971 e 1974, as regras do dinheiro mudaram. Estas mudanças causaram problemas enormes mundo afora, requerendo maior inteligência financeira para resolvê-las. Infelizmente, os governos e as escolas não estão preparados para lidar com essas mudanças e problemas. Assim, os problemas financeiros hoje são alarmantes.

Muitas pessoas esperam que os governos resolvam seus problemas. Não vejo como os governos podem fazê-lo se, muitas vezes, não conseguem resolver os próprios. Em minha opinião, a solução está nas mãos dos próprios indivíduos. O bom disso é que, se resolver os próprios problemas, acabará se tornando mais competente e rico.

A lição para ser lembrada neste capítulo é que, pobre ou rico, todos temos problemas. A única maneira de ficar rico e desenvolver a inteligência financeira é resolver ativamente seus problemas financeiros.

Os pobres e a classe média tendem a evitar ou fingir que não têm problemas com dinheiro. O ponto principal em relação a essa atitude é que eles persistem, e sua inteligência financeira evolui muito lentamente, se é que evolui.

Os ricos assumem seus problemas financeiros. Eles sabem que solucioná-los os torna mais competentes financeiramente e aumenta seu QI financeiro. Os ricos sabem que é o conhecimento que os faz ricos, e não o dinheiro em si.

O problema com os pobres e a classe média é que não têm dinheiro suficiente. Os ricos têm dinheiro demais. Ambos são problemas verdadeiros e legítimos. A questão é: qual deles você quer? Se prefere o problema de ter muito dinheiro, continue lendo.

Capítulo 2

Os Cinco QIs Financeiros

Existem cinco QIs financeiros básicos. São eles:

QI financeiro #1: Ganhar Mais Dinheiro

QI financeiro #2: Proteger Seu Dinheiro

QI financeiro #3: Controlar Seu Orçamento

QI financeiro #4: Alavancar Seu Dinheiro

QI financeiro #5: Obter Informações Melhores

Inteligência Financeira versus QI Financeiro

A maioria de nós sabe que uma pessoa com QI de 130 é supostamente mais inteligente do que outra com um de 95. O mesmo paralelo pode ser traçado para o QI financeiro. Você pode ser o equivalente a um gênio quando se trata de inteligência acadêmica, mas um bobalhão em termos financeiros.

Com frequência, sou indagado: "Qual é a diferença entre inteligência e QI financeiro?" Minha resposta é: "Inteligência financeira é aquela parte da inteligência que usamos para resolver nossos problemas financeiros. QI financeiro é a medida desta inteligência. É como a quantificamos. Por exemplo, se ganho $100 mil e pago 20% de impostos, tenho um QI financeiro maior do que alguém que ganha o mesmo e paga 50%."

Nesse exemplo, a pessoa que consegue $80 mil depois de descontados os impostos tem um QI financeiro maior do que a pessoa que fica com os $50 mil líquidos. Ambos têm inteligência financeira. Mas aquele que fica com mais dinheiro tem um QI financeiro maior.

Medindo a Inteligência Financeira

QI Financeiro #1: Ganhar Mais Dinheiro. A maioria de nós tem inteligência financeira suficiente para ganhar dinheiro. Quanto mais dinheiro ganha, maior seu QI #1. Em outras palavras, uma pessoa que ganha $1 milhão por ano tem um QI financeiro proporcionalmente maior que outra que ganha $30 mil no mesmo período. E, se duas pessoas ganham $1 milhão ao ano cada e uma delas paga menos taxas e impostos do que a outra, então a primeira tem um QI financeiro maior, porque está mais próxima de alcançar a completude financeira ao utilizar o QI Financeiro #2: Proteger Seu Dinheiro.

Todos nós sabemos que uma pessoa pode ter um QI acadêmico alto e ser um gênio em sala de aula, mas mostrar-se incapaz de ganhar muito dinheiro no mundo real. Eu diria que meu pai pobre, um professor fabuloso que trabalhava muito, tinha o QI acadêmico alto, mas o financeiro baixo. Ele se saiu muito bem no mundo acadêmico, mas não no dos negócios.

QI Financeiro #2: Proteger Seu Dinheiro. A verdade é que todo mundo quer tomar seu dinheiro. Mas nem todos que o fazem são trapaceiros ou ladrões. Uns dos maiores predadores financeiros do nosso dinheiro são os impostos. O governo toma nosso dinheiro legalmente.

Se uma pessoa tiver um QI #2 baixo, pagará mais impostos. Um exemplo de QI Financeiro #2 é alguém que paga 20% de impostos versus quem paga 30%. A pessoa que paga menos impostos tem o QI financeiro proporcionalmente maior.

QI Financeiro #3: Controlar Seu Orçamento. Fazer orçamentos requer um bocado de inteligência financeira. Muitas pessoas os fazem como pobres, e não como ricos. Muitas pessoas ganham vultosas quantias de dinheiro, mas falham em mantê-las, simplesmente porque não o orçam com cuidado. Por exemplo, uma pessoa que ganha e gasta $70 mil por ano tem um QI Financeiro #3 menor do que outra que ganha $30 mil por ano e é capaz de viver bem com $25 mil e investir $5 mil. Ser capaz de viver bem e ainda investir, não importa quanto ganhe, requer um alto nível de inteligência financeira. Orçar seu dinheiro em busca de um excedente — um superavit — é algo que examinaremos com mais detalhes à frente.

QI Financeiro #4: Alavancar Seu Dinheiro. Após conseguir uma sobra no orçamento, o próximo desafio é alavancá-la. A maioria das pessoas poupa esse excedente em um banco. Milhões de pessoas não sabem o que fazer com seu dinheiro, então colocam o excedente financeiro na poupança ou aplicam em fundos mútuos, esperando que, com isso, possam alavancá-lo.

Poupança e fundos de investimentos são formas de alavancagem, mas existem outras bem melhores de alavancar seu dinheiro. Se alguém for honesto consigo, terá que admitir que poupar em cadernetas de poupança ou aplicar em fundos de investimentos não são atitudes que demandam muita inteligência financeira. Você pode treinar um macaco a economizar em poupança e investir em fundos. Por essa razão, o retorno desses investimentos é historicamente baixo.

O QI #4 é medido em retorno de investimentos. Por exemplo, uma pessoa que ganha 50% de retorno tem um QI Financeiro #4 maior do que outra que ganha 5%. E alguém que ganha 50% isento de impostos tem um QI ainda maior do que quem ganha 5% e ainda paga 30% de impostos sobre aqueles 5% de rentabilidade.

Uma questão adicional: muitas pessoas pensam que retornos maiores em investimentos requerem graus mais elevados de riscos. Isso não é verdade. Mais adiante, explicarei como obter retornos excepcionais e pagar muito pouco, ou nada, em impostos, e tudo com pouco risco. Para mim, ter uma poupança e fundos de investimentos em um banco é muito mais arriscado do que aquilo que faço. É tudo questão de proficiência financeira.

QI Financeiro #5: Obter Informações Melhores. Há um ditado popular que prega: "Você precisa aprender a andar antes de correr." E isso também se aplica à inteligência financeira. Antes de as pessoas aprenderem a obter retornos excepcionalmente elevados com seu dinheiro (QI #4), precisam aprender a andar; isto é, os princípios básicos e os fundamentos da inteligência financeira.

Uma das razões por que tantos lutam com seu QI #4 é que aprendem a confiá-lo a um "profissional" de finanças, como banqueiros ou administradores de fundos de investimentos. O problema é que você deixa de aprender, falha em aumentar sua inteligência financeira e em se tornar o próprio financista profissional. Se outra pessoa lida com seu dinheiro e resolve seus problemas financeiros, você não tem como aumentar a própria inteligência financeira. Na verdade, você recompensa outras pessoas pela inteligência financeira delas — com seu dinheiro!

É fácil aumentar a própria inteligência financeira se você tem uma boa base de informações nessa área. Mas se seu QI financeiro é fraco, então uma nova informação financeira pode mostrar-se confusa e ter aparentemente pouco valor. Você se lembra do meu exemplo, de que gênios da matemática tiveram de começar por 2 + 2? Um dos benefícios de se dedicar à própria educação financeira é que, com o tempo, você se tornará mais apto a colher informações mais sofisticadas, como os matemáticos, que, por meio da prática, tornam-se capazes com o tempo de resolver equações cada vez mais complexas. No entanto, mais uma vez, você precisa aprender a andar antes de correr.

A maioria de nós já esteve em uma aula, palestra ou participou de uma conversa em que não entendeu *nada*. Ou em uma sala de aula em que a informação era tão complexa que, ao tentar entender o que era dito, conseguiu somente uma bela dor de cabeça. Isso quer dizer que ou o professor era muito ruim ou os estudantes precisavam de um pouco mais de informação básica.

Pessoalmente, eu me saio muito bem quando o assunto são finanças. Depois de anos de estudo, consigo sentar em uma sala e entender a maioria dos conceitos financeiros. Mas quando o assunto é tecnologia, sou um *technosaurus rex*. Sou um verdadeiro dinossauro. Mal consigo usar um celular ou ligar um computador. Tudo que tem a ver com tecnologia *entra por um ouvido e sai pelo outro*. Quando se trata de QI tecnológico, o meu é do nível mais baixo. O fato é que todos temos que começar de algum lugar. Se eu tentasse assistir a uma aula de design de sites, enfrentaria um problema sério. Você precisa aprender a ligar um computador antes de poder tentar criar um site! O nível básico de informação necessária para se dar bem nessa aula estaria muito acima de minha capacidade.

Neste livro, meu trabalho consiste em tornar a informação financeira o mais simples possível. Meu trabalho é promover o entendimento de estratégias financeiras complexas. Minha promessa, aqui, é que só escreverei sobre atividades que já pratiquei ou pratico atualmente. Como você sabe, existem muitos professores e autores que dizem o que você deveria fazer, mas não fazem o que dizem. Muitos profissionais de finanças e professores não sabem se o que dizem e escrevem funciona de verdade.

Por exemplo, muitos profissionais de finanças aconselham a poupar dinheiro e investir em uma carteira diversificada de fundos. O problema desse conselho é que eles não podem garantir que isso vá funcionar ao longo do tempo. Soa bem. É simples de pôr em prática, dado que não demanda muita inteligência financeira seguir esse conselho. Minha pergunta é: "Isto vai funcionar?" O consultor financeiro vai garantir a você que esta estratégia é financeiramente segura? E se a inflação subir muito e acabar com a poupança? E se o mercado de ações quebrar, como já aconteceu em 1929? Um fundo de investimentos bem diversificado sobreviverá a um pânico no mercado de ações? E se o governo não conseguir pagar os custos da previdência de seus idosos?

Estremeço quando ouço os profissionais de finanças dizendo: "Guarde dinheiro e invista em uma carteira de investimentos bem diversificada." Eu gostaria de perguntar a esse profissional: "Você garante que esta estratégia financeira funciona? Garante que vai me deixar — e à minha família — financeiramente seguro pelo resto da vida?" Se ele for honesto, terá que responder: "Não. Não posso garantir que o que o aconselho a fazer com seu dinheiro o deixará financeiramente seguro."

Também não posso garantir que o que eu recomendar deixará você e sua família, no futuro, financeiramente seguros. Simplesmente porque existem muitas mudanças e surpresas pela frente. O mundo está mudando muito rapidamente. As regras mudaram e continuam mudando. A expansão da tecnologia transforma nações pobres em poderios econômicos e financeiros, gerando um número crescente tanto de ricos quanto de pobres, além de aumentar também os problemas e as oportunidades financeiras.

Escrevo, crio produtos financeiros e enfatizo os cinco QIs porque acredito que os Estados Unidos e o mundo estão caminhando para uma mudança econômica drástica, como nunca vista. Há muitos problemas financeiros que não foram resolvidos. Em vez de usar inteligência financeira para resolvê-los, jogamos dinheiro artificial neles. Usar velhas soluções para problemas novos acaba os tornando ainda maiores. É por isso que acredito que os cinco QIs financeiros são importantes. Se você desenvolvê-los, terá uma chance maior de se sair bem em um mundo de mudanças rápidas. Estará capacitado a resolver os próprios problemas e a desenvolver sua inteligência financeira.

Praticar o que Prego

Quero lhe assegurar de que só escrevo sobre o que faço ou fiz. É por isso que muito deste livro é escrito em forma de narrativa, mais do que uma teoria financeira. Isso não significa que eu recomende que você faça exatamente o que faço, nem que o que faço funcionará para você. Simplesmente quero compartilhar minhas experiências, uma jornada de resoluções de problemas financeiros que continuam até hoje. Divido com você o que aprendi com o intuito de que isso ajude a aumentar seu próprio QI #5.

Sei também que não tenho todas as respostas. Não sei se poderia sobreviver a um desastre financeiro maciço. O que sei se resume ao seguinte: sejam quais forem os problemas e desafios que o futuro nos reserva, eu os encararei como oportunidades para me tornar mais competente em finanças e aumentar meu QI financeiro. Em vez de sentir pânico, acredito que eu possa me ajustar e prosperar por causa da minha inteligência financeira. Desejo o mesmo a você; por isso criei minha empresa, a *Rich Dad*, seus produtos e programas. Não se trata de ter as *respostas* financeiras certas; mas as *habilidades*. Como disse meu pai rico: "*Respostas* tratam do passado, e não das *habilidades* do futuro."

Temos Outros QIs

Todos somos diferentes. Temos diferentes interesses e desapreços. Temos forças e fraquezas específicas. Talentos e capacidades particulares.

Digo isso porque não acho que a inteligência financeira seja a mais importante, ou a única. Ela é simplesmente uma inteligência de que precisamos, eis que vivemos em um mundo de dinheiro — ou, para ser mais exato, de moeda corrente. Como diria meu pai rico: "Pobre ou rico, inteligente ou não, todos usamos dinheiro."

Existem muitos outros tipos de inteligência, como a médica, por exemplo. Cada vez que vou ao consultório de meu médico, sinto-me agradecido pelos anos de vida que ele dedicou para desenvolver sua inteligência e talentos. Também fico feliz em ter dinheiro suficiente e plano de saúde para pagar por qualquer desafio médico que precise enfrentar. Em relação a isso, o pai rico dizia: "O dinheiro não é a coisa mais importante do mundo, mas afeta todas as coisas que são." Quando você pensa a esse respeito, percebe que o dinheiro afeta o padrão de vida, saúde e educação. Os estudos mostram que os pobres têm menos saúde, educação e uma longevidade menor.

Antes de seguirmos com o desenvolvimento de nossos cinco QIs financeiros, *quero deixar claro que não acho que a inteligência financeira seja a principal delas.* O dinheiro não é a coisa mais importante da vida. Ainda assim, quando você para e pensa a esse respeito, vê que a inteligência financeira afeta, sim, muitas coisas cruciais em sua vida.

Outros Tipos de Inteligência

Hoje, existem algumas inteligências diferentes que necessitamos ter para sobreviver e nos destacar em sociedade. Três inteligências importantes são:

> *1. Acadêmica.* É nossa habilidade de ler, escrever, entender lógica e o funcionamento de computadores. Esta inteligência é muito importante. Nós a usamos para resolver problemas como saber quando e onde um furacão vai atacar e quais tipos de prejuízos são esperados.

> *2. Profissional.* Usamos para adquirir certa competência e ganhar dinheiro. Por exemplo, um médico despende anos desenvolvendo uma inteligência que é muito importante. Sua competência proporciona ganhos financeiros substanciais e resolve os problemas de muita gente.

Em termos simples, inteligência profissional é aquela que você usa para resolver os problemas dos outros e pela qual estão dispostos a pagar em busca de soluções. Fico muito feliz em pagar ao mecânico que conserta meu carro. Também fico feliz em pagar minha empregada doméstica. Ela resolve muitos problemas para mim e minha mulher, sendo muito importante em nossa vida.

Tenho pessoas diferentes para administrar aspectos específicos de meus negócios. Costumam ter elevada habilidade pessoal e competência técnica. Essas pessoas e suas habilidades variadas são essenciais para meus negócios. Uma lição importante do pai rico foi que negócios diferentes requerem inteligências técnicas diferentes. Por exemplo, na *Rich Dad*, preciso de pessoas com excelente competência técnica e habilidades de público. Em meus negócios imobiliários, preciso de pessoas com competência técnica nas áreas hidráulica e elétrica.

3. Salutar. *Saúde e Riqueza estão relacionadas.* Cuidados médicos e, consequentemente, a saúde estão se tornando rapidamente o maior problema que o mundo atual enfrenta. Se os problemas com a previdência social são grandes, com a saúde pública, muito maiores. Como você sabe, há muita gente enriquecendo ao fazer outras pessoas ficarem doentes. A indústria de alimentação, refrigerantes, cigarros, álcool e remédios são exemplos. E os custos dos problemas de saúde nos são repassados por meio dos impostos.

Há poucos meses, fui ao clube *Boys and Girls* para dar assistência em um programa de educação financeira. Foi uma experiência reveladora. Ao falar com o dentista do clube, descobri que dor de dente é a principal razão pela qual as crianças perdem aulas. As causas das dores são os refrigerantes açucarados e a falta de dentistas. Isso leva a uma saúde precária e obesidade, fatores que podem aumentar a possibilidade de trazer à tona o diabetes. Pessoalmente, acho trágico que os Estados Unidos gastem bilhões em uma guerra e não ofereça educação na área de saúde nem cuidados médicos às crianças.

Minha opinião é que precisamos de diferentes tipos de educação e inteligências para nos dar bem neste admirável mundo novo em que vivemos. Ainda que eu não ache que a inteligência financeira seja a mais importante, ela realmente afeta tudo que *é* crucial.

Nem Todos Precisam de Inteligência Financeira

Se você teve sorte suficiente de herdar uma fortuna, não precisa de muita inteligência financeira — contanto que contrate pessoas que a tenham. Se seu plano de vida é casar-se por dinheiro, mais uma vez, você não precisa de inteligência financeira. Ou se nasceu com um talento especial e, ainda bem jovem, o mundo o enche de dinheiro, então não precisa de muita inteligência financeira — a não ser que você seja o MC Hammer.

Você também não precisa de muita inteligência financeira se seu plano é trabalhar para o governo e receber uma pensão pelo resto da vida, ou se trabalha para alguma empresa antiga, daquelas que ainda pagam um plano de pensão BD, que garantirá salário e planos de saúde pelo resto da vida.

Se você é como a maioria das pessoas, precisará de alguma inteligência financeira para sobreviver no mundo de hoje, se seu plano é viver com a previdência e a saúde pública. Na verdade, você precisará de muita inteligência financeira se seu plano é viver com essa pequena soma de dinheiro.

Quem Precisa Mais de QI Financeiro?

Quando examinamos o quadrante CASHFLOW a seguir, torna-se mais fácil entender quem precisa mais desenvolver seu QI financeiro.

Para aqueles que não leram o livro *Independência Financeira*, vou explicar em poucas linhas. O quadrante CASHFLOW retrata quatro grupos diferentes de pessoas que compõem o mundo do dinheiro:

E de *Empregado*.
A de *Autônomo ou pequeno empresário*.
D de *Dono de grandes empresas*.
I de *Investidor*.

As pessoas cujas carreiras estão no quadrante E podem pensar que não necessitam de muita inteligência financeira. O mesmo é verdade para quem está no quadrante A.

Meu pai pobre, como um professor do quadrante E durante toda a vida, não deu muito valor à inteligência financeira. Isto é, até que perdeu seu emprego e entrou para o mundo dos negócios. Em menos de um ano, suas poupanças e investimentos para a aposentadoria desapareceram. Se não fosse pela previdência e assistência social, teria entrado em sérios problemas financeiros.

Minha mãe, em razão de sua condição de enfermeira, queria que eu fosse médico. Ela sabia que eu queria ser rico, e as pessoas mais ricas que conhecia eram médicos. Ela queria que eu pegasse minha fatia no quadrante A. Obviamente esses eram outros dias, aqueles em que, nos Estados Unidos, os médicos não tinham de pagar valores exorbitantes de seguro contra práticas malsucedidas ou erros. De novo, como enfermeira, ela não via muita necessidade de educação financeira. Sua solução para mim era conseguir um emprego que pagasse bem. Como você sabe, há muita gente com salários altos que não têm dinheiro algum.

Se quiser ser um empreendedor que constrói um negócio do quadrante D ou um investidor do I, então a inteligência financeira é tudo. Para aqueles que estão nos quadrantes D ou I, quanto maior a inteligência financeira, maior sua renda.

O pai rico me disse: "Você pode ser um médico de sucesso e, ainda assim, pobre; pode ser um professor bem-sucedido, e pobre. Mas você não pode ser um empresário ou investidor de sucesso pobre. O sucesso nos quadrantes D e I é medido em dinheiro. Por isso nesse caso a inteligência financeira é fundamental."

Resumo

Após 1971, o dólar se tornou moeda corrente. Em 1974, as empresas deixaram de pagar a seus funcionários um salário vitalício. Como resultado destas mudanças, a inteligência financeira se tornou mais importante do que nunca. Enquanto esse tipo de inteligência é importante para todos, é ainda mais crucial para certas pessoas, especialmente as que planejam atuar nos quadrantes D e I.

Uma das razões pelas quais o sistema educacional não ensina a seus alunos sobre dinheiro é porque a maioria dos professores opera no quadrante E; assim, as escolas preparam as pessoas para os quadrantes E e A. Se planeja operar dentro dos quadrantes D e I, então os cinco QIs são essenciais, e você não irá aprendê-los na escola.

Em suma, os cinco QIs financeiros são:

1. QI #1: Ganhar Mais Dinheiro
2. QI #2: Proteger Seu Dinheiro
3. QI #3: Controlar Seu Orçamento
4. QI #4: Alavancar Seu Dinheiro
5. QI #5: Obter Informações Melhores

Inteligência financeira é a que usamos para resolver nossos problemas financeiros específicos, e o QI financeiro mede ou quantifica nossos resultados.

Agora, vamos ao QI Financeiro #1: Ganhar Mais Dinheiro.

Capítulo 3

QI Financeiro #1: Ganhar Mais Dinheiro

APÓS QUATRO ANOS NA ACADEMIA DA Marinha Mercante de Kings Point, em Nova York, nos Estados Unidos, eu me graduei em 1969 e consegui meu primeiro emprego na *Standard Oil* da Califórnia para navegar em seus petroleiros. Eu era o terceiro imediato em viagens entre Califórnia, Havaí, Alasca e Taiti. Era um excelente emprego em uma grande empresa. Eu trabalhava apenas sete meses e tinha cinco de folga para ver o mundo. O salário era muito bom, cerca de US$47 mil por ano — o equivalente a US$140 mil hoje.

Um salário de US$47 mil era muito dinheiro para um jovem recém-saído da universidade, em 1969. E ainda é. Mesmo comparado ao de alguns de meus colegas, meu salário era baixo. Eu tinha colegas de turma que estavam começando a carreira com algo entre US$70 mil e US$150 mil ao ano como terceiros imediatos. Hoje, isso equivaleria a algo entre US$250 mil e US$500 mil ao ano, de salário inicial, valor nada desprezível para jovens de 22 anos recém-saídos da escola.

A razão de meu salário ser mais baixo era porque a *Standard Oil* era uma empresa de navegação sem representação sindical. Meus colegas com salários maiores eram sindicalizados.

Após apenas quatro meses como terceiro imediato, desisti de meu alto salário na *Standard Oil* e me juntei à Marinha Americana para lutar na Guerra do Vietnã. Senti-me obrigado a servir meu país. Na época, muitos de meus amigos estavam fazendo o possível para evitar o alistamento. Muitos foram fazer pós-graduação; um deles fugiu e se escondeu no Canadá. Outros tiveram doenças estranhas, na esperança de serem classificados como 4-F, que significava ser incapaz de fazer parte do contingente por questões médicas.

Eu estava livre da convocação porque trabalhava em uma indústria classificada como vital. Como o petróleo é essencial em momentos de guerra e eu trabalhava para uma indústria petrolífera, o pessoal do alistamento militar não podia colocar as mãos em mim. Eu não precisava evitar a guerra, como estavam fazendo meus amigos. Muitos deles ficaram surpresos quando me voluntariei para servir. Eu não tinha que ir; eu quis.

Para mim, ir à guerra e lutar não era a parte mais difícil da minha decisão. Eu já estivera no Vietnã em 1966, como estudante de operações de carga na Cam Ranh Bay. Sob meu ingênuo ponto de vista, a guerra, na verdade, parecia bastante excitante. Não me preocupei com o fato de lutar, matar e possivelmente morrer.

A parte mais difícil da decisão foi o corte de salário que eu sofreria. O pagamento anual de um segundo-tenente da Marinha era US$2.400. Na *Standard Oil*, eu recebia isso por duas semanas de trabalho. Além disso, quando você avalia que eu trabalhava apenas sete meses do ano e tinha cinco de férias, eu estava abrindo mão de muitas vantagens. Eu ganhava US$7 mil ao mês, por sete meses, e depois tirava cinco de férias sem remuneração, sem o receio de ser despedido por não trabalhar. Não era um negócio ruim. Muitas pessoas aceitariam esse tipo de acordo nos dias de hoje sem hesitar.

Por ser uma companhia patriota, a *Standard Oil* mostrou-se muito compreensiva quando informei que estava saindo para servir meu país. Eles disseram que eu poderia ter meu emprego de volta — se eu voltasse vivo. Meu tempo de serviços prestados na guerra também contaria para minha senioridade na empresa.

Até hoje me lembro de sair do escritório deles em São Francisco, na Rua do Mercado, com uma terrível sensação na boca do estômago. Eu me perguntava: "O que você está fazendo? Está louco? Você não tem que ir. Não tem que lutar. Você está livre da convocação. Após quatro anos de escola, finalmente está ganhando bem." Com a ideia de passar de US$4 mil por mês para apenas US$200 martelando em minha cabeça, quase pedi o emprego de volta.

Dando uma última olhada para o prédio da *Standard Oil*, fui até a Praça Ghirardelli para gastar dinheiro como um homem rico em meu bar favorito, o Buena Vista. Percebendo que eu agora estaria ganhando US$200 por mês como marinheiro, sabia que aquela poderia ser minha última chance de me sentir e gastar como rico. Eu tinha um monte de dinheiro no bolso e queria aproveitá-lo.

A primeira coisa que fiz foi comprar uma rodada completa de drinques no bar. Isso manteria a festa animada. Logo encontrei uma bela jovem, evidentemente atraída pelo dinheiro que transbordava da minha carteira. Nós dois deixamos o bar e saímos para jantar e beber. Rimos, gritamos e nos divertimos muito. Na minha cabeça, tratava-se realmente de comer, beber e me divertir, porque no dia seguinte eu poderia estar morto.

No final da noite, a bela jovem apertou minha mão, deu um beijo na minha bochecha e foi embora em um táxi. Eu queria mais, mas ela, apenas meu dinheiro. Na manhã seguinte, dirigi de São Francisco até Pensacola, onde teria início meu treinamento de voo. Eu me apresentei à escola de voo em outubro de 1969. Duas semanas mais tarde, quase morri quando vi o que era uma folha de pagamento de US$200 depois dos impostos.

Cinco anos mais tarde, após um ano no Vietnã, fui dispensado da Marinha, com honras. Meu primeiro desafio imediato foi o QI #1: Ganhar Mais Dinheiro. Eu tinha 27 anos e duas grandes profissões: uma, como oficial de navio e a segunda, como piloto.

Por um momento, considerei retornar à *Standard Oil* e pedir meu emprego de volta. Eu gostava daquela empresa e da cidade de São Francisco. Eu também gostava dos salários que pagavam. E, no meu caso, começaria com US$60 mil ao ano, dado que a *Standard Oil* contaria meu tempo na Marinha a favor de minha antiguidade na empresa.

Minha segunda opção seria tentar conseguir um emprego de piloto em uma companhia aérea comercial. A maioria dos meus colegas pilotos da Marinha estava recebendo ofertas muito boas de companhias aéreas para começar com cerca de US$32 mil por ano. Ainda que o pagamento não fosse tão bom quanto o da *Standard Oil*, ser piloto de uma empresa de aviação comercial era bastante atraente para mim. Além disso, qualquer coisa que a empresa aérea me pagasse seria melhor do que os US$985 por mês que eu recebia da Marinha, e isso após cinco anos de serviços prestados.

Entretanto, em vez de retornar para a *Standard Oil* ou voar para companhias comerciais, assumi uma posição na Xerox, no centro de Honolulu. Meu salário inicial era de US$720 por mês. Mais uma vez, aceitei uma redução salarial. Meus amigos e minha família achavam que a guerra havia me enlouquecido.

Você pode perguntar por que eu aceitaria um emprego de apenas US$720 por mês, em uma cidade tão cara como Honolulu. A resposta se encontra no tema deste livro: desenvolver sua inteligência financeira. Aceitei o trabalho da Xerox não pelo pagamento, mas pelo conhecimento — especialmente o QI #1. Decidi que a melhor forma de ganhar mais consistia em ser um *empreendedor*, não um piloto comercial ou o oficial de um navio. Eu sabia que, se me tornasse empresário, precisaria saber vender. Havia apenas um problema: eu era terrivelmente tímido e tinha medo de ser rejeitado.

Meus problemas eram timidez e falta de experiência em vendas. A Xerox estava oferecendo treinamento profissional em vendas. Eles tinham o problema de precisar de vendedores. Eu queria me tornar um vendedor. Então era um excelente acordo. Nós resolvemos os problemas um do outro. Logo após eu ser contratado, a companhia me enviou para o local de treinamento, que ficava em Leesburg, na Virgínia.

Os seis anos que passei trabalhando para a Xerox, de 1974 a 1980, foram bem difíceis. Nos dois primeiros, por diversas vezes, quase fui demitido por não conseguir vender. Não apenas não conseguia vender e corria o risco de perder meu emprego, como também não ganhava dinheiro algum. Mas eu tinha o objetivo de me tornar o melhor vendedor da filial de Honolulu e, então, encarei meus desafios com determinação.

Depois dos primeiros dois anos, o treinamento em vendas e a experiência de rua começaram a surtir efeito e, finalmente, tornei-me o vendedor número 1 de Honolulu. Resolvi meu problema com a timidez e o medo da rejeição e aprendi a vender. Melhor ainda: eu estava fazendo muito mais dinheiro do que faria como oficial de navio ou piloto comercial. Se eu simplesmente tivesse me estabelecido em um desses empregos depois da guerra, nunca teria superado meu medo da rejeição e minha timidez, e não teria colhido os frutos de encarar e vencer esses desafios. Extraí uma lição valiosa de minha experiência na Xerox: solucionar problemas é o caminho para a riqueza.

Uma vez que atingi meu objetivo e me tornei o melhor em vender, pedi demissão para encarar meu próximo desafio — empreender. Qualquer pessoa que tenha construído um negócio próprio sabe que o primeiro problema é, mais uma vez, o QI #1. Dado que naquele momento eu não tinha dinheiro entrando, tinha que resolver o QI #1 rapidamente.

Empreendedor Rico

Em *Empreendedor Rico*, escrevi sobre o processo de construção de meu primeiro grande negócio, que lançou a primeira carteira de surfistas feita em náilon e velcro. Neste livro, escrevi sobre as oito integridades que fazem o sucesso de qualquer empreendimento, e mostrei como não reuni-las leva muitos negócios a falhar em se manter lucrativos. Acredito que é uma obra muito importante para qualquer um que queira ser empresário e começar o próprio negócio. É importante lê-la antes de pedir demissão de seu emprego para se tornar um empreendedor rico.

No livro, escrevi sobre como meu negócio se tornou um sucesso imenso em cerca de um ano, fazendo de mim um milionário, e de repente fracassou. Descrevo os sentimentos de depressão e perda e o forte desejo de fugir e me esconder depois do colapso da minha empresa. Eu estava afundado em dívidas e enfrentando o maior problema financeiro da minha vida até aquele momento.

O pai rico, no entanto, me encorajou a enfrentar meus problemas e reconstruir meu negócio, em vez de fugir e declarar insolvência. Ele me lembrou de que resolver esse problema complicado aumentaria minha inteligência financeira. Foi um dos melhores conselhos que eu já recebera até então. Ainda que doloroso, o processo de enfrentamento e de reconstrução do negócio foi o melhor treinamento que eu poderia ter desejado. Precisei de anos para resolver o problema e reconstruir a empresa, mas o processo aumentou meus QIs de #1 a #5 e fez de mim um empreendedor financeiramente mais competente.

Reconstruir os destroços de minha própria empresa *foi* a melhor escola de negócios que eu poderia desejar. A primeira coisa que tive que fazer foi juntar as oito integridades da empresa, do Triângulo D–I. A segunda, redefinir a questão negocial para encontrar um nicho competitivo. Observe, em 1981, o ano em que estava reconstruindo minha empresa, o mercado estava inundado de outros fabricantes de carteiras de náilon, oriundos de países como Coreia, Taiwan e Indonésia. O preço das carteiras, que eu havia estabelecido em US$10, caiu para US$1 nas ruas de Waikiki e no resto do mundo. As carteiras de náilon haviam se tornado mercadoria, e o mercado desse tipo de bem vai para quem produz pelo preço mais baixo. Para competir no mercado, eu precisava de um nicho. Precisava me tornar uma marca. Esta oportunidade veio na forma de rock and roll.

Como descrevi em *Empreendedor Rico*, *tropecei* sem querer no mundo do rock, e salvei minha empresa ao adquirir os direitos de utilizar o nome das bandas de rock em minhas carteiras. Logo eu estava produzindo carteiras do Van Halen, Judas Priest, Duran Duran, Iron Maiden, Boy George, entre outros. Como eu era legalmente licenciado, pude elevar meu preço novamente para US$10 a unidade. Embora tivesse que pagar royalties para as bandas, ter um produto patenteado abriu as portas para os varejistas dos Estados Unidos e do mundo. Meu negócio explodiu e o dinheiro voltou a entrar aos montes.

Como eu disse, a forma de aumentar a inteligência financeira é resolver os problemas que estão à frente. Em 1981, resolvi o problema de reconstruir minha empresa. Então, surgiu outro: lidar com o baixo preço da concorrência e com os imitadores, que pegaram meu produto e fizeram dinheiro, enquanto eu perdia.

Mais problemas surgiram na forma de pirataria. As mesmas pessoas que copiaram meu primeiro produto, a carteira original de náilon, estavam agora se infiltrando em meu nicho competitivo. Começaram a produzir os mesmos produtos licenciados que eu, vendendo-os a um preço muito abaixo, apenas por não pagar os royalties das bandas.

Após alguns meses combatendo os piratas, percebi que as únicas pessoas que enriqueciam com isso eram meus advogados, que me cobravam para brigar em tribunais, sem nunca conseguir vencer. Os piratas eram mais espertos e rápidos do que meus advogados. Tudo que meus advogados me diziam era que precisavam de mais dinheiro para continuar a luta. Não levou muito tempo para eu perceber que estava pagando a outro grupo de piratas, e estes (os advogados) deveriam, supostamente, estar do meu lado. Eu estava aprendendo outra lição valiosa de negócios e finanças, que será abordada no próximo capítulo.

Há um ditado que diz: "Se não pode com eles, junte-se a eles." Cansado da *sangria* financeira de uma batalha perdida, despedi meus advogados e voei para Coreia, Taiwan e Indonésia a fim de juntar forças com os piratas. Em vez de lutar contra eles judicialmente, o que me custava muito mais do que eu ganhava, licenciei meus concorrentes para produzir carteiras para mim. Meu custo de produção caiu, as despesas com meus advogados também, e eu tinha fábricas melhores produzindo para mim. Eu poderia, então, fazer aquilo que sabia fazer melhor

— vender. Os negócios estouraram de novo. Logo meus produtos estavam em lojas de departamentos e shows de rock. Em 1982, uma nova rede de televisão foi ao ar, a MTV. Nossos negócios explodiram e, mais uma vez, o dinheiro jorrou.

Em janeiro de 1984, vendi minha parte das carteiras de náilon para meus dois sócios. Minha mulher, Kim, e eu nos mudamos para a Califórnia, a fim de iniciar nossa empresa de educação. Eu não tinha a menor ideia de que havia tamanha diferença entre vender um produto qualquer e vender "educação". O ano de 1985 foi o pior de nossas vidas. Nossa poupança desapareceu e, logo, o problema de não ter dinheiro suficiente atingiu proporções alarmantes. Eu já havia quebrado antes, mas Kim não. O fato de ela ter ficado comigo atesta seu caráter — não foi por causa da minha beleza. Ainda assim, trabalhamos juntos e construímos um negócio internacional que ensinava empreendedorismo e investimentos, com escritórios nos Estados Unidos, Austrália, Nova Zelândia, Cingapura e Canadá. Em 1994, Kim e eu vendemos nossa empresa e nos aposentamos com uma renda passiva de nossos negócios imobiliários suficiente para nos sustentar pelo resto da vida.

Mas... ficamos entediados. Após nossa breve aposentadoria, Kim e eu produzimos nosso jogo *CASHFLOW®* em 1996, e *Pai Rico, Pai Pobre* foi uma produção independente em 1997. Em meados de 2000, estive por uma hora no programa da Oprah Winfrey, e o resto é história. Hoje, a *Rich Dad* é um negócio internacional. Boa parte do sucesso se deve a duas lições aprendidas nos fracassos e sucessos de meus negócios anteriores. Se eu não tivesse aprendido com a resolução de problemas, nunca teria chegado até aqui. Se eu tivesse jogado a toalha e deixado as circunstâncias me engolirem, você não estaria lendo este livro agora.

Cada Objetivo Tem Seu Processo

Como sabemos, cada objetivo que vale a pena tem uma tramitação e dá trabalho. Por exemplo, para se formar em medicina, é preciso passar por um processo rigoroso de educação e treinamento. Muitas pessoas sonham em abraçar esta carreira, mas o processo atrapalha. Nas páginas anteriores, você leu sobre meu processo e, pode acreditar, representou trabalho árduo.

Uma das razões pelas quais as pessoas não têm o QI #1 é porque *querem o dinheiro, mas não o processo*. O que muitas pessoas não percebem é que é o processo que as torna ricas, e não o dinheiro. Muitos ganhadores de loteria ou jovens que herdam fortunas logo quebram porque receberam o dinheiro, mas não tiveram que passar pelo *processo*. Muitas pessoas falham em se tornar ricas porque valorizam muito mais um salário fixo do que o processo de aprendizado em si, a fim de se tornar financeiramente mais inteligentes e, consequentemente, ricas. Elas sentem-se acuadas pelo medo de ser pobre. É esse mesmo medo que as impede de agarrar as chances e solucionar os problemas necessários para enriquecer.

Somos Todos Diferentes

Somos todos diferentes e temos forças e fraquezas particulares. Todos passamos por processos, desafios e problemas distintos. Algumas pessoas são vendedoras natas. Eu não era. Meu primeiro problema foi minha inabilidade de superar meu medo de vender e o terror de ser rejeitado. Algumas pessoas são empresárias instintivas. Eu não. Tive que aprender como ser um homem de negócios.

Escrevo isso porque *não* estou dizendo que você tenha que aprender a vender ou a ser um empresário. Esse foi o meu processo. Pode não ser o seu. O primeiro passo para aumentar seu QI #1 é decidir o que funciona melhor para você ganhar mais dinheiro. Se quiser se tornar médico, prepare-se para a escola de medicina. Se quiser se profissionalizar no golfe, comece a treinar. Em outras palavras, escolha seu objetivo e, em seguida, o processo. Lembre-se sempre de que o processo é ainda mais importante do que o objetivo.

Inteligência Emocional

A essa altura, é importante assinalar que a inteligência financeira é também inteligência emocional. Warren Buffett, o investidor mais rico do mundo, disse: "Se você não controlar suas emoções, você não controla seu dinheiro. O mesmo é verdade para o processo." Uma das partes mais difíceis de meu processo foi não desistir quando estava muito deprimido; não perder a calma quando estava frustrado e continuar a estudar quando queria fugir.

Outra razão pela qual muitas pessoas fracassam é que não podem viver sem gratificação instantânea. A principal razão de eu mencionar o baixo salário que recebia no início da minha vida foi para ilustrar a importância de adiar a gratificação. Muitos sacrificarão um amanhã de riquezas por alguns trocados hoje. Não fiz muito dinheiro quando tinha 20 ou 30 anos, mas hoje faço milhões.

Controlar os altos e baixos de minhas emoções e adiar as gratificações de curto prazo foram atitudes essenciais para desenvolver minha inteligência financeira. Em outras palavras, inteligência emocional é essencial para a financeira. Na verdade, eu diria que, quando se trata de dinheiro, a inteligência emocional é a mais importante de todas. É mais fundamental do que a inteligência profissional ou acadêmica. Muitas pessoas deixam de perseguir seus sonhos por causa do medo, por exemplo. Começam, mas desistem quando fracassam, e então culpam os outros, quando deveriam assumir a responsabilidade por seus erros.

Desistentes Não Vencem

Muitos anos atrás havia um jovem que trabalhava comigo. Era brilhante, charmoso, tinha um MBA e fizera muito dinheiro até então. Ele e a esposa fizeram várias tentativas de negócios em seu tempo livre. Tentaram o mercado imobiliário e falharam. Compraram para ela uma pequena franquia e não deu certo. Então compraram um abrigo para idosos e quase perderam tudo quando seus clientes morreram inesperadamente. Hoje, ambos voltaram para seus empregos de altos salários, mas continuam com um forte sentimento de inadequação.

Cito esse jovem casal porque eles falharam em aprender. Deixaram o processo os derrotar. Quando as coisas ficaram complicadas, desistiram. Ainda que seja louvável o fato de terem tentado novos empreendimentos, eles paravam quando os problemas pareciam grandes demais para ser solucionados. Falharam em compreender seus fracassos e aprender com os erros. Não conseguiram perceber que o *processo*, não o dinheiro, os enriqueceria.

Uma das lições mais difíceis que tive que aprender com meu pai rico foi que eu deveria me agarrar ao processo até vencer. Quando tive problemas na Xerox porque não conseguia vender, quis desistir. Como não conseguia vender, eu não ganhava dinheiro. Na verdade, eu pagava mais para viver em Honolulu do que o dinheiro que ganhava. O pai rico disse: "Você pode desistir quando ganhar, mas nunca desista enquanto estiver perdendo." Até 1978, ano em que me tornei o melhor vendedor da Xerox, não desisti. O processo me tornou mais rico — mental e financeiramente. Ao superar meu problema de não conseguir vender, fui capaz de suplantar meus problemas de não conseguir fazer dinheiro.

Ainda trabalhando para a Xerox, comecei, no tempo livre, meu negócio de carteiras de náilon. Em 1978, me dediquei em tempo integral a meu negócio, que deslanchou, para em seguida falir. De novo eu quis desistir, e de novo meu pai rico me lembrou que o *processo* é mais importante do que o *objetivo*. Muitas vezes ele me lembrou, enquanto eu estava atolado em dívidas e com pouco dinheiro, que, se — e quando — resolvesse esse problema, nunca mais precisaria de dinheiro de novo. Eu saberia como construir um negócio e seria um pouco mais inteligente financeiramente. Mas primeiro teria que resolver o problema que estava ali na minha frente.

Muito Dinheiro

No começo deste livro, escrevi que há dois tipos de problemas financeiros. Um é não ter dinheiro; o segundo é ter demais. Em 1974, quando saí da Marinha, tive que resolver qual problema queria. Se quisesse ter o problema de não ter dinheiro suficiente, aceitaria o emprego da *Standard Oil* ou o das companhias aéreas. Se quisesse ter o problema de ter muito dinheiro, pegaria o emprego na Xerox, mesmo com um salário inicial menor. Como você sabe, escolhi o problema de ter muito dinheiro.

Eu queria aprendizado — não apenas dinheiro. Escolhi a Xerox porque sabia que podia ser um marinheiro ou piloto. O que eu não sabia é se poderia ser empresário. E sabia que poderia falhar. Eu também sabia que poderia aprender muito mais se enfrentasse o risco do fracasso. Se eu deixasse o medo de fracassar — de ser pobre — me dominar, nunca teria saído do chão.

As pessoas não conseguem melhorar seu QI #1 porque se agarram ao que já sabem. Preferem a segurança a buscar novos desafios e aprender. É óbvio que isso não significa que você deva fazer coisas estúpidas e arriscadas. Há muitas coisas que podemos fazer, mas que optamos por não fazer. Por exemplo, eu poderia ter decidido escalar o Monte Everest ou me candidatar a um dos programas para astronautas da NASA. Poderia ter escolhido me candidatar a um cargo político. Enfim, o que quero dizer é que escolho meu próximo desafio cuidadosamente, não por acaso. Eu me pergunto: "O que será da minha vida se eu encarar esse desafio e for bem-sucedido?" Esta é a mesma pergunta que quero que você faça a si mesmo.

Helen Keller, no filme biográfico *O milagre de Anne Sullivan*, disse: "A vida é uma aventura arriscada... ou nada." Concordo. Em minha opinião, uma das formas de desenvolver sua inteligência financeira é olhar a vida como uma aventura de aprendizado. Para muitas pessoas, viver é sentir-se seguro, fazer a coisa certa e escolher um emprego bom e duradouro. Sua vida não tem que ser arriscada ou perigosa. Viver é aprender — e aprender é aventurar-se.

Foi por isso que não retornei aos navios ou aos aviões, embora amasse ambas as profissões. Era tempo de uma nova aventura. Inteligência não é memorizar velhas respostas e evitar erros — um comportamento que nossas escolas definem como inteligente. A verdadeira inteligência envolve aprender a resolver problemas e qualificar-se para desafios ainda maiores. A verdadeira inteligência reside na *alegria de aprender*, não no medo de fracassar.

Ganhar Mais Dinheiro

Ao colocar as demonstrações financeiras e os diagramas do quadrante CASH-FLOW juntos, você tem uma ideia mais clara sobre suas escolhas para o QI #1.

O que este diagrama explica é que os Es e As trabalham por dinheiro. Eles buscam um salário fixo, uma comissão ou um pagamento por hora trabalhada. Ds e Is trabalham por ativos geradores de fluxo de caixa ou de apreciação de capital.

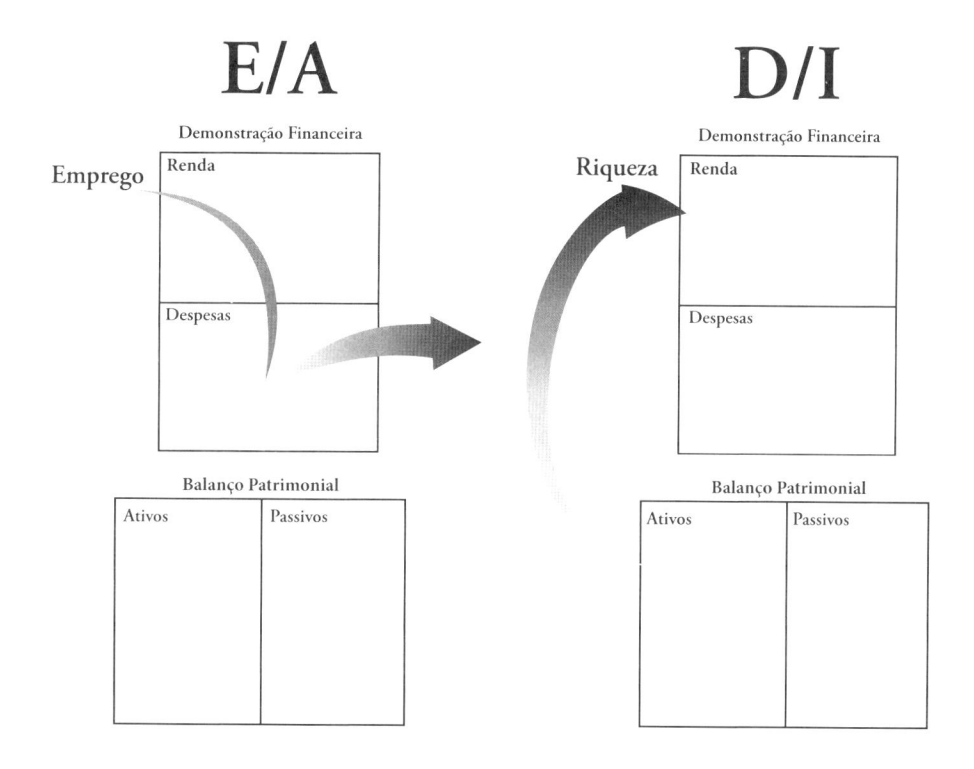

Ganho mais dinheiro do que meus colegas que trabalham em navios ou companhias aéreas porque eles trabalham por salários. Eu, por outro lado, construo ativos como um empreendedor e os adquiro como investidor. Em outras palavras, Es e As focam a coluna de renda, enquanto Ds e Is, a de ativos.

Uma das coisas mais difíceis para um E ou A entender é que um D ou I não trabalha por dinheiro. Um D ou I tecnicamente trabalha de graça, o que é um conceito difícil de ser captado. Es e As trabalham para serem pagos, e precisam ser pagos antes de trabalhar. Trabalhar de graça, possivelmente por anos, não é do feitio profissional ou emocional deles. Es e As podem até ser voluntários em programas de caridade ou trabalhar de graça para alguma causa que julguem valer a pena, mas, quando se trata de renda pessoal, trabalham por dinheiro. Como regra geral, não trabalham para construir ou adquirir ativos.

Em termos contábeis, um E ou A trabalha por salário, e D ou I, por renda passiva oriunda de investimentos. No próximo capítulo, você descobrirá por que o tipo de renda que uma pessoa ganha faz uma enorme diferença financeira. Salário é a renda mais difícil de proteger contra os predadores financeiros. É por isso que trabalhar por ele não é financeiramente a coisa mais inteligente a se fazer.

Muitos autônomos não têm um negócio. Têm um emprego. Se o autônomo parar de trabalhar, sua renda se estagna ou declina. Por definição, um emprego não é um ativo. Ativos colocam dinheiro no seu bolso, trabalhe você ou não. Se quiser saber mais sobre as diferenças entre os quadrantes E, A, D e I, recomendo que leia *Independência Financeira*.

Por que os Ricos Ficam Cada Vez Mais Ricos

Olhando o diagrama a seguir é fácil entender por que os ricos ficam cada vez mais ricos.

E/A

Empregado

Demonstração Financeira

Renda	
Despesas	

Balanço Patrimonial

Ativos	Passivos

D/I

Rico

Demonstração Financeira

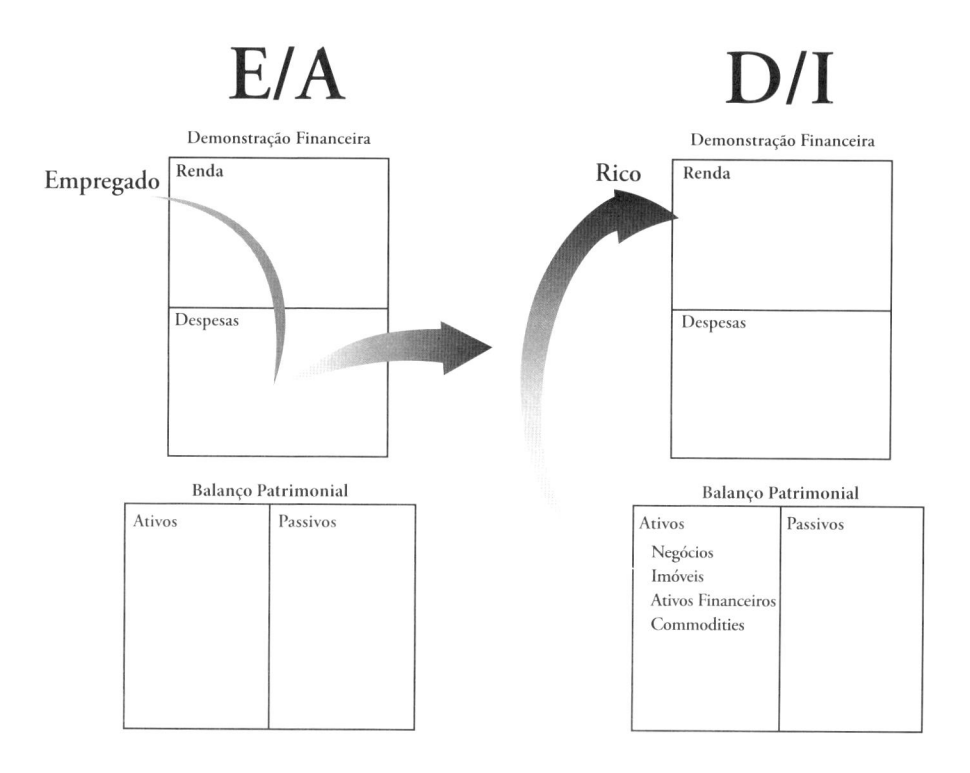

Renda	
Despesas	

Balanço Patrimonial

Ativos	Passivos
Negócios	
Imóveis	
Ativos Financeiros	
Commodities	

Uma das razões da dificuldade dos pobres e da classe média é que trabalham por dinheiro e salário fixo. O problema em trabalhar por dinheiro é que você tem que trabalhar cada vez mais arduamente, ou então cobrar por seus serviços para ter mais dinheiro. A questão é que o esforço físico de trabalhar mais tempo ou pesado é que todos temos uma quantidade limitada de tempo e energia.

Os ricos enriquecem ainda mais porque, a cada ano, trabalham para construir ou adquirir mais ativos. A adição de mais ativos não requer trabalho árduo ou prolongado. Na verdade, quanto maior o QI financeiro das pessoas, menos trabalham enquanto adquirem mais ativos e de melhor qualidade. Os ativos trabalham para os ricos produzindo renda passiva.

Todo ano, Kim e eu estabelecemos objetivos sobre quantos novos ativos queremos. Não estabelecemos objetivos de ganhar mais dinheiro. Quando Kim começou a investir no mercado imobiliário, em 1989, visava possuir 20 propriedades residenciais em 10 anos. Na época, pareceu colossal. Ela começou com casas de dois quartos e um banheiro na cidade de Portland, no estado do Oregon. Cerca de 18 meses depois — e não 10 anos —, ela atingiu seu objetivo de vinte propriedades. Depois de alcançar seu objetivo, vendeu as unidades, com ganhos acima de US$1 milhão, e começou a buscar casas maiores e melhores na região de Fênix, no Arizona.

Em 2007, seu objetivo pessoal foi conseguir um adicional de quinhentas propriedades para alugar. Kim já tem mais de mil unidades que lhe dão renda passiva todos os meses. Ela ganha mais dinheiro do que a maioria das pessoas, e conseguiu tudo isso como empresária do quadrante I.

Meu foco é aumentar o fluxo de caixa de ativos negociais e commodities. Invisto pesadamente em empresas de ouro, petróleo e prata. Como empreendedor na área de educação, cada vez que escrevo um livro, recebo renda por anos na forma de direitos autorais de aproximadamente cinquenta editoras de partes diferentes do mundo. Também adicionei um sistema de franquias de distribuição a meus negócios. Aprendi com meu negócio de rock and roll que é melhor ser o licenciador do que o licenciado. Embora eu adore o mercado imobiliário, gosto ainda mais do empreendedorismo do quadrante D.

Não escrevo sobre isto para me gabar. Na verdade, hesito em revelar nossa fortuna e como a ganhamos. Há muitas pessoas que levam a mal aqueles que fazem muito dinheiro. Como você descobrirá no próximo capítulo, cujo tema são os predadores financeiros, é perigoso deixar as pessoas saberem que você é rico.

É arriscado revelar o que fazemos ou temos porque Kim e eu estamos comprometidos com sua educação financeira e o aumento de seu QI. Um problema imenso com a educação financeira é que a maioria das pessoas que vendem ou trabalham com ela vem dos quadrantes E e A. São empregados ou autônomos. A maioria sequer é rica. Muitos são jornalistas que escrevem sobre dinheiro, mas eles próprios têm pouco. Ou então são vendedores de produtos financeiros como ações ou imóveis. Muitos dos especialistas financeiros têm o que outros Es e As têm. Têm planos de aposentadoria que investem em fundos de investimentos, títulos e ações. Muitos contam com o vigor do mercado de ações para a sobrevivência financeira e se darão muito mal se ocorrer algum tipo de quebra do mercado durante a aposentadoria. Muitos encontrarão problemas se o dólar continuar a cair ou a inflação disparar. Em suma, muitos especialistas financeiros que dão aconselhamento não sabem ao certo se seus planos de aposentadoria funcionarão. Se soubessem, muitos já teriam se aposentado.

Kim e eu sabemos que nosso plano de aposentadoria funciona. Sabemos porque a renda passiva de nossos ativos já flui mensalmente. Não estamos colocando dinheiro para o futuro em poupança ou fundos. Se perdermos tudo, o que é sempre possível, nosso ativo real será nosso QI financeiro. Podemos reconstruir tudo porque estamos focados em aprender sobre dinheiro — e não em ganhá-lo. Aprendemos a administrar o próprio dinheiro, em vez de entregá-lo a um E ou A. Como meu pai rico disse: "Só porque você investe ou é autônomo, não significa que seja um investidor ou dono de um negócio."

Resumo

O segredo dos ricos para ganhar mais dinheiro pode ser vislumbrado no diagrama a seguir.

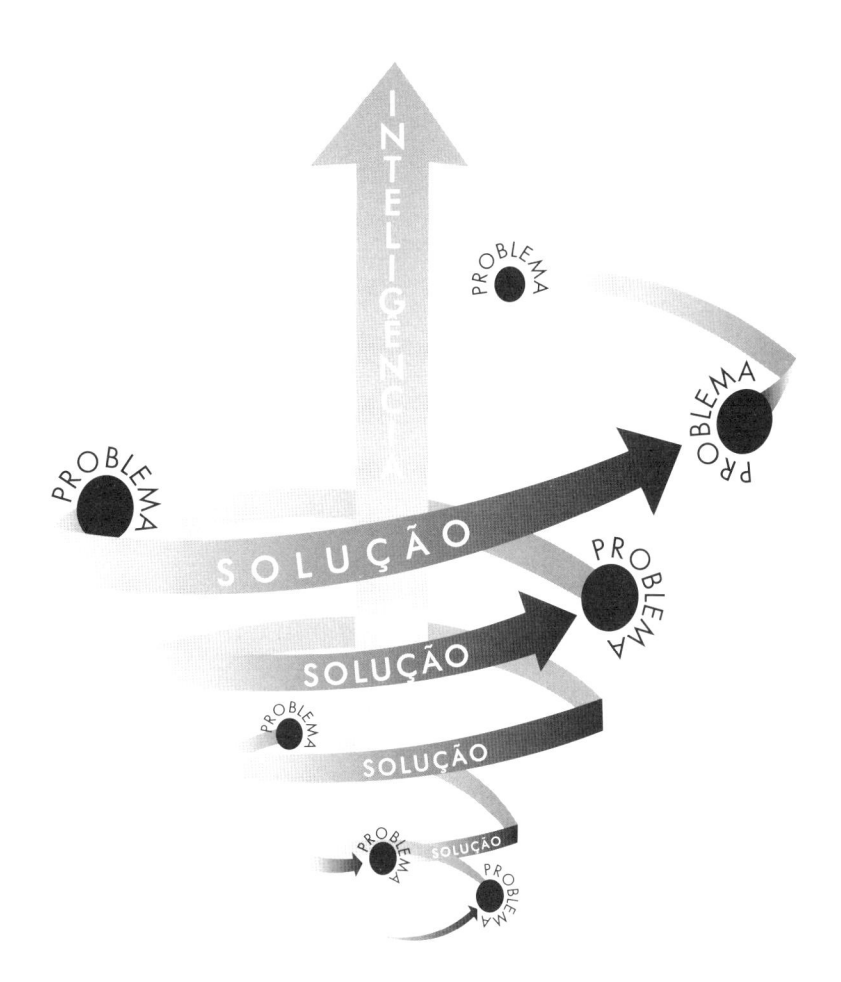

Para enriquecer, você precisa entender que os problemas não desaparecem. Cada vez que encontra uma solução para um problema, um novo entra em cena.

A chave é perceber que o processo de resolução é que o torna rico. E, uma vez que você começa a resolver não apenas seus problemas, mas os dos outros também, o céu é o limite.

As pessoas pagarão a você para resolver seus problemas. Por exemplo, pago a meus médicos para me manter saudável. Pago à minha empregada para manter minha casa arrumada. Compro no supermercado local porque meus problemas serão fome e inanição se não comer. Pago à pessoa que tem um restaurante local por fornecer uma boa comida e uma experiência magnífica com um jantar. Pago impostos para os funcionários públicos me fornecerem um governo bem administrado. Coloco dinheiro na caixinha de doações da igreja para que eles deem suporte à minha orientação e educação espiritual.

Kim ganha muito dinheiro porque resolve um problema enorme, que consiste em oferecer casas de qualidade a um preço acessível. Quanto mais trabalha para resolver esse problema, mais dinheiro ganha. Trabalho arduamente para resolver o problema da necessidade de educação financeira.

Simplificando, há trilhões de maneiras de ganhar dinheiro porque há trilhões — se não infinitos — de problemas a ser resolvidos. A questão é a seguinte: quais problemas quer resolver? Quanto mais problemas resolver, mais rico ficará.

Muitas pessoas querem ser pagas para nada fazer, e não desejam resolver problemas. Ou então querem receber mais do que valem os problemas que estão resolvendo. Uma das razões pelas quais não me juntei a uma empresa fortemente sindicalizada foi porque sou um capitalista, não um trabalhador. Na verdade, existem poucos navios norte-americanos hoje porque está muito caro operar um navio mercante nos Estados Unidos. E é uma das razões por que a maioria dos navios de carga ou de passageiros nos portos norte-americanos não é tripulada por cidadãos norte-americanos. O alto custo de operá-los é um dos motivos para tantos estudantes de minha escola, Kings Point, não encontrar trabalho quando se graduam hoje. Esse é o problema de querer ganhar mais para fazer menos.

Meu pai pobre era um sindicalista. Na verdade, era o presidente do sindicato dos professores do Havaí. Entendo o ponto de vista dele de que os professores tinham mais poderes como um grupo. Sem o sindicato, receberiam menos e teriam menos direitos. Sem o sindicato, a educação padeceria mais.

Meu pai rico era um capitalista. Capitalistas acreditam em produzir melhor a um preço melhor. Se você não pode entregar um produto melhor, a um preço melhor e para mais pessoas, então o mercado pune você. Em outras palavras, um capitalista é pago para resolver problemas, não para criá-los — a menos que esteja vendendo quebra-cabeças.

Muitos acham que os capitalistas são porcos gananciosos. E muitos, de fato, o são. Mas há capitalistas que fazem coisas boas, como saúde, alimentação, transporte, energia e comunicações, para o mundo todo. Como um capitalista que faz o melhor que pode para tornar o mundo um lugar melhor para se viver, meu problema é com as pessoas que querem ser pagas por nada ou aquelas que querem receber mais fazendo pouco. Em minha opinião, um indivíduo que deseja receber mais fazendo menos — ou nada — também é um porco ganancioso.

Aqueles que querem receber mais fazendo menos acharão a vida mais extenuante, à medida que as mudanças vão ocorrendo. Por exemplo, nos Estados Unidos, os sindicatos de classe que demandam salários e benefícios maiores por menos trabalho são a principal razão da migração de empregos para outros países. Hoje, nos Estados Unidos, um trabalhador da indústria automobilística, que é fortemente sindicalizada, ganha US$75 por hora, incluindo os benefícios. Na China, o mesmo trabalhador desse tipo de indústria ganha US$0,75 por hora. Enquanto escrevia, a Chrysler assinou um acordo com a chinesa Chery Motors para produzir carros no país deles. Preço: menos de US$2.500 a unidade. É praticamente o mesmo preço do custo do seguro de saúde adicionado a cada carro norte-americano.

Um capitalista verdadeiro é simplesmente alguém que reconhece um problema e cria um produto ou serviço que o soluciona. Você pode cobrar um preço maior se seu produto ou serviço tiver um valor percebido maior, mas é necessário ter esse valor adicionado. Por exemplo, cobro mais por meus livros e jogos porque, para algumas pessoas, há mais valor educacional *percebido* neles comparado a outros. Para muitas pessoas, meus livros e jogos não valem o preço cobrado. Elas não valorizam minha *marca* de educação financeira, porque minha *marca* não resolve o problema financeiro delas. Muitas pessoas não acreditam que as regras do dinheiro mudaram, preferindo acreditar que podem continuar a trabalhar arduamente, poupar, investir em fundos e esperar mais pagamento por menos trabalho. Para o próprio bem delas e do futuro financeiro de suas famílias, espero que essas crenças e atos resolvam seus problemas financeiros.

E, para seu próprio bem, espero que você não acredite nisso. Tenho um palpite de que você não acredita, porque está lendo este livro e ativamente desenvolvendo sua inteligência financeira ao fazê-lo. Comece a pensar agora sobre quais problemas precisa resolver, mergulhe de cabeça neles e o dinheiro virá. E, uma vez que consiga o dinheiro, precisará de cada grão de sua inteligência financeira para protegê-lo. É sobre isso que trata o próximo capítulo.

Capítulo 4

QI Financeiro #2: Proteger Seu Dinheiro

É MUITO IMPORTANTE PROTEGER SEU dinheiro dos predadores financeiros. Como a maioria de nós sabe, o mundo está repleto de pessoas e organizações esperando pela oportunidade de se "ajudar" com seu dinheiro. Elas são muito espertas e poderosas. Se tiverem mais poder ou sagacidade que você, pegarão seu dinheiro. É por isso que o QI #2 é tão importante.

Como Medir o QI Financeiro #2?

Em geral, o QI #1 é medido em renda bruta. O QI #2, em porcentagem. Para entender o que quero dizer com isso, observe os três exemplos de porcentagens diferentes a seguir:

1. Uma pessoa que ganha US$100 mil por ano em salários chega a pagar, entre impostos, previdência e outras taxas, cerca de 50% da renda. Essa pessoa recebe cerca de US$50 mil anual, descontados os impostos.

2. Uma pessoa que ganha US$100 mil por ano de seus investimentos em bolsa paga 15% de impostos. Essa pessoa recebe, aproximadamente, US$85 mil por ano, depois de impostos e taxas.
3. Uma terceira pessoa recebe US$100 mil de renda passiva e paga zero de impostos. Ela recebe US$100 mil líquidos, livres de impostos.

Nesses exemplos, a pessoa que paga a menor porcentagem em impostos tem o maior QI #2 porque perde menos dinheiro para os predadores.

Por enquanto, mantenha em mente uma ideia simples: o QI #2 mede a porcentagem de renda que uma pessoa mantém contra a que os predadores tomam.

Coelhos, Pássaros e Insetos

As lições do pai rico para seu filho e para mim sobre a importância de proteger o dinheiro dos predadores financeiros começaram bem cedo — *antes* que tivéssemos qualquer dinheiro. Como éramos muito jovens, o pai rico usou um exemplo muito simples de fazendeiro para ilustrar seu ponto de vista. Ele disse: "Um fazendeiro precisa proteger sua plantação dos coelhos, pássaro e insetos. Para ele, os coelhos, pássaros e insetos são ladrões."

Usar a ideia de que coelhinhos eram ladrões serviu como uma lição poderosa para mim enquanto era garoto. Coelhinhos são fofos, adoráveis e inofensivos. O mesmo ocorria com os pássaros. Eu tinha um periquito em casa, e rotular um pássaro de ladrão era um conceito difícil de assimilar. Insetos, no entanto, eu entendi. Sabia que poderíamos chamá-los de ladrões. Eu tinha uma horta em casa e havia perdido grande parte dela para insetos e pragas.

Do Nosso Lado

O pai rico não estava tentando nos assustar. Simplesmente queria que seu filho e eu nos conscientizássemos do mundo real. A razão pela qual ele usou criaturas fofas como coelhos e pássaros foi para nos garantir que alguns dos maiores ladrões de nossa riqueza pessoal não são bandidos, criminosos ou pessoas fora da lei. Ele os usou porque queria nos lembrar de que alguns dos maiores predadores financeiros são pessoas e organizações que amamos, confiamos ou respeitamos — que pensamos que estão *do nosso lado* e nos apoiam. O pai rico costumava dizer: "As pessoas estão do *nosso lado* porque, desta posição, fica mais fácil enfiar a mão em nosso bolso. Muitas pessoas têm problemas financeiros porque têm muitas mãos enfiadas em seus bolsos."

Continuando com o tema sobre animais e fazendeiros, o pai rico fez uma lista de predadores do mundo real que incluía burocratas, banqueiros, corretores, empresas, cônjuges, cunhados e advogados.

Burocratas

Como todos sabemos, impostos representam nossa maior despesa. O trabalho do governo é pegar seu dinheiro e entregar a algum burocrata para gastá-lo.

Infelizmente, o problema com a maioria dos políticos e burocratas é que são muito bons em gastar dinheiro. A maioria dos funcionários públicos não sabe como se faz dinheiro; talvez seja esse o motivo pelo qual escolhem se tornar burocratas. Se soubessem como fazer dinheiro provavelmente seriam homens e mulheres de negócios, não burocratas. Como não sabem como ganhar dinheiro, mas adoram gastá-lo, passam boa parte do tempo imaginando modos criativos de arrancar mais e mais do nosso dinheiro *via* impostos.

Como você sabe, já pagamos impostos sobre renda, investimentos, casas, carros, gasolina, viagens, roupas, refeições, bebidas, cigarros, negócios, educação, permissões, licenças, morte e por aí vai. Pagamos impostos sobre impostos e sequer sabemos. Esses impostos e taxas nos são vendidos como bons para a sociedade — e alguns o são. Mas os problemas da sociedade só aumentam, porque os burocratas não sabem como resolvê-los (e, consequentemente, não sabem como fazer dinheiro); sabem apenas como atirar ainda mais dinheiro nos problemas. Quando mais dinheiro não é solução, então se criam novos impostos com nomes engenhosos. Como os problemas só aumentam, o mesmo acaba ocorrendo com a porcentagem que pagamos em taxas. Como os juros compostos nos tornam mais ricos, a composição dos impostos, mais pobres. Esta é uma das razões pelas quais o QI #2 é tão importante. Você não pode se tornar rico se todo o dinheiro que consegue ganhar lhe é tomado pelos predadores financeiros.

IMPOSTOS SÃO IMPORTANTES

Antes de continuar, tenho que dizer que não sou contra o governo ou pagar impostos. O pai rico dizia: "Impostos são despesas para se viver em uma sociedade civilizada." Ele nos mostrou que impostos pagam por escolas e professores, bombeiros e policiais, sistemas de justiça, militares, estradas, aeroportos, segurança alimentar e pelas operações gerais dos negócios governamentais. A frustração do pai rico com os tributos era que os burocratas raramente resolvem os problemas que enfrentam, o que significa que os impostos precisam continuar subindo. Em vez de resolver o problema, com frequência, os burocratas convocam comitês para estudá-lo, o que significa que nada será feito. Ao perceber que sempre estaremos pagando mais impostos, a filosofia do pai rico era: "O trabalho de um burocrata é enfiar a mão cada vez mais fundo em seu bolso, e seu trabalho, fazer com que consigam pegar o mínimo possível — legalmente."

Infelizmente, é comum acontecer de as pessoas que ganham menos serem as que pagam maior porcentagem em impostos. Em um evento recente, Warren Buffett disse o seguinte sobre impostos: "Os quatrocentos de nós [aqui] pagam uma parte menor de nossa renda em impostos do que nossas recepcionistas ou empregadas. Se você faz parte do 1% mais afortunado da humanidade, deve ter consciência de que deve esta sorte aos outros 99%."

QUAL PARTIDO POLÍTICO É MELHOR?

É bom que saiba que não sou republicano ou democrata, conservador ou liberal, socialista ou capitalista. Quando me perguntam, simplesmente respondo que sou *todas as respostas anteriores.* Por exemplo, como capitalista, quero fazer muito dinheiro e pagar o mínimo possível de impostos. Como socialista, faço doações dedutíveis para caridade e causas nobres, e quero que meus impostos produzam uma sociedade melhor, que cuide dos que realmente não conseguem cuidar de si próprios.

Muitas pessoas, no mundo, acreditam que nos Estados Unidos os republicanos são melhores do que os democratas quando se trata de dinheiro, mas os fatos não sustentam esta crença. Os republicanos costumam dizer que "os democratas aumentam os impostos e gastam". Os republicanos, por outro lado, *emprestam e gastam.* O resultado líquido, independentemente do partido, é o aumento da dívida de longo prazo do país, que acabará passando para as próximas gerações na forma de mais impostos.

VOCÊ É CAPITALISTA OU SOCIALISTA?

Certa vez ouvi uma piada explicando a diferença entre um socialista e um capitalista. Um dia, um socialista bateu à porta de um fazendeiro convidando-o para participar do partido socialista local. Sem saber o que era um socialista, o fazendeiro pediu um exemplo. O socialista então disse: "Se você tem uma vaca, então todos da vila podem ter parte do leite de sua vaca. Chama-se compartilhamento da riqueza."

"Isto parece bom", disse o fazendeiro.

"E se tem um carneiro, todos recebem parte da lã."

"Muito legal", disse o fazendeiro. "Esse socialismo parece realmente bom."

"Ótimo", disse o socialista, acreditando que o havia convertido ao socialismo. "Se tem uma galinha, todos compartilham os ovos."

"O quê?", gritou o fazendeiro raivoso. "Que absurdo! Cai fora daqui, você e suas ideias socialistas!"

"Mas, mas, mas", gaguejou o socialista. "Eu não entendo. Você estava todo feliz com a ideia de dividir o leite e a lã. Por que a objeção quanto aos ovos?"

"Porque *não tenho* uma vaca nem um carneiro", rosnou o fazendeiro. "Mas tenho uma galinha."

É por isso que o QI #2 é tão importante. Todo mundo concorda que precisamos dividir riqueza, contanto que seja a dos *outros* e não a *própria*.

ESCOLHA SEU TIPO DE RENDA CUIDADOSAMENTE

Existem três tipos de renda: *renda auferida, renda de portfólio* e *renda passiva*. Reconhecer a diferença é importante, especialmente quando se trata de proteger seu dinheiro dos burocratas. Trabalhar por *renda de esforço próprio*, como empregado ou autônomo, não permite muita proteção dos impostos.

Até mesmo os trabalhadores de baixa renda pagam impostos. Pagam por seguridade social, por exemplo. Muitas pessoas acham que o empregador paga por parte disso, o que pode ser verdade, mas, olhando para a questão em sua plenitude, veremos que, se o empregador não pagasse ao governo, então os salários poderiam ser maiores.

O mesmo é verdade em relação ao dinheiro da aposentadoria das empresas que possuem fundos de pensão em que o empregador complementa as quantias depositadas pelo empregado. O dinheiro pago pelo empregador é seu.

Pessoalmente, não gosto do governo administrando minha segurança financeira futura. O governo é terrível nisso. Prefiro cuidar do meu dinheiro. O governo não tem muita inteligência financeira. Gasta o dinheiro que arrecada com base no fato de que a maioria das pessoas não é financeiramente educada para compreender isso. Então, por que não enriquecer — e aos amigos — à custa do seu dinheiro?

Banqueiros

Os bancos foram criados para proteger seu dinheiro dos bandidos. Mas e se você descobrir que seu banco também é um bandido? Um banqueiro não tem que colocar a mão no seu bolso. Você tira dinheiro do próprio bolso e o entrega ao banqueiro. Mas e se descobrir que aquelas pessoas às quais confiou seu dinheiro lucram mais do que você sequer imagina — e legalmente?

O ex-governador de Nova York, Eliot Spitzer, quando era procurador-geral, investigou uma série de bancos de investimentos e administradores de recursos de terceiros e descobriu que eles eram responsáveis por uma série de práticas ilegais. As mesmas pessoas a quem o público confiava seu dinheiro eram aquelas que extraíam das pessoas um pouco mais do que deveriam. As empresas receberam multas insignificantes comparadas às quantias que haviam subtraído e, ainda que isso seja perturbador, o que causa ainda mais espanto é o fato de elas continuarem funcionando até hoje.

O problema é que a investigação de Eliot Spitzer limitou-se aos bancos de investimentos e administradores de recursos e à cidade de Nova York. A questão de os bancos estarem tomando dinheiro de pessoas inocentes é mundial. À medida que mais e mais empresas deixam de cuidar de seus empregados até a aposentadoria, mais trabalhadores são forçados a poupar dinheiro. Os trabalhadores não têm dinheiro para contratar os serviços dos profissionais de finanças, como fazem as empresas. Isso faz com que uma grande massa de dinheiro financeiramente "ingênuo" cresça como um balão de ar, fazendo com que os banqueiros e aqueles que vendem produtos financeiros para os trabalhadores enriqueçam mais e mais. Hoje, os fundos de previdência alimentam o crescimento da economia global. Os fundos de previdência privada representam um oceano de dinheiro, algo sem precedência na história mundial, e são salvaguardados pelos bancos, não por você.

Como eu disse anteriormente, os bancos foram criados para proteger seu dinheiro. Agora, trabalham para tirar dinheiro de você. O trágico desta situação é que facilitamos a vida deles. Nem ao menos vamos aos bancos mais. Em vez disso, o dinheiro é tirado direto do salário antes mesmo de alcançar nossos bolsos. Os banqueiros nem precisam tirar dos nossos bolsos, porque ele nem sequer está lá.

MOEDAS MARCADAS

Durante o Império Romano, muitos imperadores usavam suas moedas para jogar. Alguns aparavam suas moedas fazendo pequenos cortes, tirando ouro e prata das bordas. É por isso que as moedas, hoje, possuem ranhuras nas bordas. Ranhuras foram inventadas para proteger as moedas de cortes. Quando não podiam mais aparar as moedas, os imperadores pediam a seus tesoureiros que misturassem ao ouro e prata alguma base de metal mais barata.

Muitos países fizeram o mesmo com suas moedas. As moedas de ouro e prata desapareceram. E, em 1971, com a queda do padrão-ouro, cresceu tremendamente o processo de imprimir papel-moeda.

De muitas maneiras, os bancos são os maiores predadores financeiros de todos. Diariamente, roubam sua riqueza *criando* dinheiro. Por exemplo, as regras permitem que os bancos peguem seu dinheiro e paguem a você uma pequena porcentagem extra através de juros. Então, para cada centavo que poupa, o banco pode emprestar a outras pessoas muitas vezes mais esse dinheiro e cobrar juros altos por isso. Por exemplo, você deposita seu dinheiro e o banco paga 5% de juros ao ano. Imediatamente, é permitido ao banco emprestar muitas vezes mais com base no dinheiro que você depositou. O banco paga 5% a você e usa seu dinheiro como lastro para emprestar muitas vezes mais e a taxas muito maiores. É o chamado multiplicador bancário. É assim que os banqueiros enriquecem. Se você ou eu fizéssemos isso, iríamos para a cadeia. É uma prática conhecida como usura.

Isso causa inflação, e o hiato entre ricos e pobres só tende a aumentar, porque os bancos especulam com o nosso dinheiro. Hoje, os poupadores são perdedores e os banqueiros, ganhadores.

Nas novas regras do dinheiro, precisamos aprender como emprestar *moeda corrente* para adquirir ativos; eis que não mais conseguimos poupar *dinheiro*. Em outras palavras, emprestadores inteligentes são os ganhadores no novo capitalismo, não aqueles que poupam dinheiro em uma caderneta de poupança.

Corretores

A palavra "corretor" é quase sinônima de "vendedor". No mundo do dinheiro, há corretores de valores mobiliários, seguros, imóveis, investimentos etc. Um dos maiores problemas atuais é que as pessoas recebem aconselhamento financeiro de vendedores, não de pessoas ricas. Se você encontrar um vendedor rico, precisa perguntar se ele enriqueceu por conta de suas vendas ou de suas habilidades financeiras.

Certa vez, Warren Buffett disse: "Wall Street é o único lugar aonde as pessoas vão de Rolls-Royce pedir conselhos a quem pega metrô."

CORRETORES BONS — CORRETORES POBRES

Um dos problemas de não ter muito dinheiro é que os bons corretores, aqueles que sabem o que estão fazendo, não têm tempo para você. Estão ocupados trabalhando com seus clientes de alta renda.

Quando Kim e eu tínhamos pouco dinheiro, um de nossos maiores desafios era encontrar um corretor que estivesse desejoso de nos educar financeiramente. Como não tínhamos muito dinheiro, a maioria dos corretores não tinha tempo. Também encontramos corretores que queriam apenas vender, e não nos ensinar. Ainda assim, continuamos procurando. O que estávamos procurando era um jovem que estivesse construindo uma base de clientes, que fosse esperto e estudioso de sua profissão e que também fosse investidor. Quase que por acidente, por intermédio do amigo de um amigo, encontramos Tom. Inicialmente, entregamos a ele US$25 mil. Hoje, 15 anos mais tarde, nossa carteira de ações está em muitos milhões e continua crescendo.

Após nos casarmos, em 1986, Kim e eu começamos a investir em imóveis. Decidimos começar com pouco dinheiro. Encontramos um monte de péssimos corretores de imóveis que vendiam, mas não investiam no mercado imobiliário. Caso investissem, eles o faziam em fundos de investimentos nos bancos. Finalmente, encontramos John. Começando com US$5 mil, ele nos ajudou a chegar a US$250 mil. Ainda que possa não parecer um crescimento expressivo, saiba que foi alcançado em apenas três anos, em Portland, no Oregon, durante um período recessivo para o mercado imobiliário. Hoje, nossa carteira de imóveis está na casa de dezenas de milhões de dólares e continua crescendo.

LIÇÃO APRENDIDA

Como você sabe, há bons e maus corretores. Em poucas palavras, bons corretores o enriquecem, enquanto os maus arrumam desculpas. A seguir, está uma lista abreviada das coisas que nos ajudaram a encontrar e manter os bons corretores.

1. Kim e eu fizemos cursos de investimentos em ações e corretagem de imóveis. Ter mais conhecimentos sobre esses assuntos nos permitiu distinguir os bons corretores daqueles que eram apenas vendedores.
2. Procuramos por corretores que também eram estudiosos de sua profissão. Ambos, Tom e John, investiam muito tempo estudando a respectiva área de atuação, muito além do mínimo que lhes era requerido. Tom me convidava, com frequência, para dar uma olhada em negócios que ele vinha pesquisando. John é um corretor de imóveis que investe em imóveis. Hoje, é um respeitado professor que ensina sobre investimentos no mercado imobiliário.
3. Queremos saber se eles investem naquilo que vendem. Afinal, por que você deveria investir naquilo que eles estão vendendo, se o próprio corretor não tem confiança para fazê-lo?
4. Desejávamos ter um relacionamento, não apenas uma transação financeira. Muitos corretores querem apenas vender. Tom e John achavam tempo para jantar conosco, mesmo quando tínhamos pouco dinheiro. Ambos são nossos amigos até hoje.

A CHAVE PARA O SUCESSO

A chave para o sucesso é a educação. Kim, John, Tom e eu somos estudiosos de investimentos. Estamos interessados no mesmo assunto e queremos aprender mais a respeito. Investimos naquilo que é do nosso interesse. Tom não sabe muito sobre investimentos imobiliários, então não falamos sobre isso com ele. Já

John, por sua vez, não tem qualquer interesse no mercado acionário, assim não falamos sobre ações com ele.

Uma das razões pelas quais nossa fortuna aumentou foi porque nosso conhecimento se expandiu. Com frequência, eu ligava para o John e perguntava coisas do tipo: "Você pode me explicar melhor a diferença entre taxa de capitalização e taxa interna de retorno?" E ele me explicava, ainda que tomasse seu tempo, em vez de simplesmente tentar me vender alguma coisa.

Uma das razões para que a *Rich Dad* faça seminários de vários dias em ações e ativos imobiliários é porque educação financeira é realmente importante. Os professores que dão nossos cursos são investidores que praticam o que ensinam. A *Rich Dad* valoriza a educação financeira porque foi a razão pela qual Kim e eu tivemos um forte relacionamento com nossos corretores, Tom e John. Foi o compromisso com a educação financeira de longo prazo que permitiu que nós quatro pudéssemos enriquecer juntos.

Hoje, tenho corretores que me ligam constantemente. Todos alegam que têm *dicas quentes* que me farão muito rico. Na maioria das vezes, estão interessados unicamente nas comissões que colocarão comida em *sua* mesa... não na *minha*. Bons corretores querem colocar comida em *ambas* as mesas.

De novo, o QI #2 é medido em porcentagem. Com frequência, os corretores ganham suas porcentagens. Por exemplo, se compro uma propriedade de US$1 milhão, os corretores podem ganhar 5% na venda, ou seja, US$50 mil. Se aquela propriedade me dá 10% ao ano de retorno todos os anos, então a taxa do corretor vale a pena, visto que a paguei a ele apenas uma vez.

Por outro lado, se compro e vendo, pago comissão duas vezes: ao comprar e ao vender. No mercado imobiliário, uma *round trip*, comprar e vender, pode facilmente *comer* 12% de seus lucros, além das taxas e impostos que precisam ser pagos. Isso não é financeiramente inteligente.

NEGOCIADORES VERSUS INVESTIDORES

Pessoas que compram e vendem com frequência são negociadoras, não investidoras. Os negociadores não apenas pagam comissões maiores aos corretores, como também pagam mais impostos sobre os ganhos de capital de curto prazo. Isso significa que os burocratas do governo não consideram investidores as pessoas que compram e vendem por ganhos de capital. Essas pessoas são consideradas negociadores profissionais. Corretores e burocratas ganham, enquanto os negociadores perdem nesse tipo de transação. Investidores financeiramente inteligentes sabem como minimizar as taxas predatórias das transações ao investir com sabedoria e utilizar bons corretores.

Empresas

Todas as empresas têm algo para vender. Quando não vendem, quebram. Costumo perguntar: "Esse produto ou serviço está me tornando mais rico ou mais pobre?" Em muitos casos, o produto ou serviço não o faz mais rico; apenas enriquece a própria empresa.

Muitas empresas fazem o possível para empobrecer você. Por exemplo, muitas lojas têm os próprios cartões de crédito — o pior tipo de crédito que alguém pode ter. Elas querem que você tenha um cartão de crédito da loja porque o banco lhes dá uma parcela dos ganhos.

USANDO O CARTÃO DE CRÉDITO PARA COMPRAR PRODUTOS SEM QUALIDADE

As pessoas acabam travando verdadeiras batalhas financeiras porque compram produtos que as empobrecem, e depois ficam ainda mais pobres pagando por aquele produto por anos a fio com altas taxas de juros de cartão de crédito. Por exemplo, se compro um par de sapatos com o cartão de crédito e passo anos de minha vida pagando a conta, continuo pobre por anos. Pessoas pobres compram produtos que as mantêm pobres, e levam anos para pagar por esses produtos, incorrendo em pagamentos com altas taxas de juros.

Se você quer ser rico, torne-se um consumidor de produtos de empresas que se dedicam a torná-lo ainda mais rico. Por exemplo, há muito tempo sou consumidor de diversas revistas e informativos sobre finanças e investimentos. Também sou cliente de empresas que vendem produtos e seminários de educação financeira. Em outras palavras, sou um bom cliente até mesmo de meus concorrentes. Gosto de gastar dinheiro com produtos e serviços que me fazem ainda mais rico.

Cônjuges

Todos sabemos que algumas pessoas se casam por dinheiro. Ambos, homens e mulheres, casam mais por dinheiro do que por amor. Goste ou não, o dinheiro desempenha um papel importante em qualquer casamento. Há uma fala no filme *O Grande Gatsby* que diz: "Meninas ricas não casam com rapazes pobres." A frase pode ser boa para o filme, mas a realidade é que há muitas garotas e garotos pobres que se casam com pessoas ricas por causa de seu dinheiro.

PREDADORES DO AMOR

Meu pai rico costumava chamar as pessoas que se casam por dinheiro de *predadores do amor*. Quanto mais dinheiro você tem, mais é amado. Em seu mais do que divulgado divórcio, Paul McCartney teve que pagar milhões de dólares a Heather Mills, sua esposa por quatro anos. Isso mostra que McCartney ganhou muito dinheiro como gênio musical, mas a falta de QI #2 lhe custou uma fortuna que um simples acordo pré-nupcial teria evitado. Meu amigo Donald Trump gosta de aconselhar: "Faça um acordo pré-nupcial." Esse acordo é um sinal de QI #2 alto. Perder 50% de uma fortuna construída ao longo de uma vida por poucos anos de casamento é um sinal de baixo QI #2.

"Quando se combinam amor e dinheiro, a insanidade financeira, e não a inteligência, costuma imperar", era o que dizia meu pai rico. Quando Kim e eu nos casamos, nenhum de nós tinha dinheiro; assim, tenho certeza de que não nos casamos por esse motivo. Mas, ainda que não tivéssemos dinheiro, tínhamos um plano estratégico de saída, caso as coisas não caminhassem do jeito que queríamos. Por isso, Kim tem as próprias empresas e investimentos, da mesma forma que eu. Se nos separarmos, não teremos que dividir nossos ativos. Eles já estão divididos. Estamos casados e felizes desde 1986, e o casamento fica melhor a cada dia — e ambos continuamos enriquecendo a cada ano.

SAIA ANTES DE ENTRAR

É *insano* pensar que viveremos felizes para sempre. Isso é verdade apenas em contos de fadas. As coisas mudam. É por isso que contar com saídas estratégicas é importante para tudo que vale a pena. Sei que deve ser desconfortável pedir à mulher ou ao homem de seus sonhos para assinar um acordo pré-nupcial. Mas esta é a coisa financeiramente inteligente a ser feita, especialmente nessas épocas de tantas mudanças na legislação. Quando se está criando um novo negócio com um sócio, sei que é difícil pensar no acordo de dissolução, mas isso deve ser pensado antes de iniciarmos um novo negócio e não depois.

A próxima estratégia de saída a ser ponderada é uma que muitas pessoas sequer gostam de pensar, mas sobre a qual é financeiramente inteligente refletir muito antes que faça *a saída final*.

Cunhados

A morte é a saída final. E é outro momento em que os predadores aparecem — ou, devo dizer, os abutres. Se você é rico, não ter QI financeiro pode custar caro a seus entes queridos. Cunhados, familiares distantes, amigos e o governo aparecem para seu funeral se você é rico. As pessoas com alto QI financeiro fazem testamentos e adotam outras formas legais de proteger sua fortuna dos predadores.

Antes de morrer, procure a ajuda de um advogado especializado em sucessões. Se você é rico ou tem ideia de ser rico, planejar a saída final é a providência mais inteligente.

Advogados

Muitos predadores usam o sistema jurídico para conseguir dinheiro. Milhões de pessoas esperam alguma desculpa para entrar com um processo e ficar ricas. Há certos advogados cujo único propósito na vida é levar você para o tribunal e arrancar seu dinheiro. Por isso, há certas coisas que as pessoas financeiramente inteligentes devem fazer — e uma delas é justamente procurar um advogado que possa ajudá-las a criar um escudo de proteção de seus bens, especialmente se você tem uma empresa ou muito dinheiro.

As Regras Mudaram

Ainda hoje, escuto as pessoas dizerem: "Trabalhe muito, poupe, saia das dívidas, invista com visão de longo prazo e diversifique seus investimentos." Trata-se de um conselho ruim e ultrapassado, dado por aqueles que são financeiramente ignorantes. É jogar o jogo do dinheiro segundo as regras antigas.

Pessoalmente, não tento mudar o sistema. Minha filosofia pessoal é que é mais fácil mudar a mim mesmo do que os outros. Em outras palavras, não sou a pessoa que luta contra o vento que move os moinhos. Por esta razão, não tenho inclinações políticas. Não acredito que a política — ou os políticos — seja eficiente contra aqueles que controlam o mundo do dinheiro. Parece que a maioria dos políticos, para ser eleita, precisa ser fantoche das mesmas pessoas que controlam o mundo do dinheiro. A maioria dos conselheiros de finanças é empregada desses banqueiros internacionais.

Eu simplesmente quero saber quais são as regras e como jogar de acordo. Isso não significa que eu acredite que as regras sejam justas ou imparciais. Não são. As regras do dinheiro são o que são, e mudam constantemente. Além disso, esse novo mundo do dinheiro, ainda que injusto, tem feito muita coisa boa. Trouxe muita riqueza e novos produtos ao mundo, melhorou o padrão de vida de milhões de pessoas em todos os lugares, e a qualidade de vida de outros bilhões vem melhorando ainda mais. O dinheiro tem trazido muita coisa boa.

Infelizmente, essas mudanças vieram a expensas de muitos países, do meio ambiente e de muitas pessoas. Muitos se tornaram imensamente ricos ao tirar vantagem de pessoas ingênuas ou à custa da saúde alheia. É por isso que proteger seu dinheiro é uma inteligência financeira importante. A ignorância é uma bênção, diz o ditado. Bem, no caso financeiro, os únicos abençoados são os predadores, que contam com seu desconhecimento para, assim, enriquecer à sua custa.

Capítulo 5

QI Financeiro #3:
Controlar Seu Orçamento

A RECOMENDAÇÃO DO MEU PAI POBRE ERA: "Viva abaixo de suas possibilidades."

Meu pai rico, por sua vez, aconselhava: "Se quiser ser rico, tem que *expandir* suas possibilidades."

Neste capítulo, você descobrirá que "viver abaixo de suas possibilidades" não é uma forma inteligente de enriquecer, e aprenderá que existem dois tipos de orçamentos. Um é o deficitário; o outro, o superavitário. O QI #3 é tão importante porque aprender como orçar em busca de saldos positivos é a chave para enriquecer e permanecer rico.

Um Orçamento É um Plano

Uma das definições de "orçamento" é um plano para equilibrar recursos e despesas.

Meu pai rico nos disse que o orçamento era um plano, e completou: "A maioria das pessoas usa seus orçamentos como plano para se tornar pobre ou pertencente à classe média, em vez de usá-lo para se tornar rico. A maioria das pessoas conduz a vida por meio de um orçamento focado em despesas, e não para planejar excedentes. Elas procuram viver com menos do que ganham, o que, com frequência, significa criar um deficit orçamentário."

O Primeiro Tipo de Orçamento: Deficitário

A definição de deficit orçamentário, conforme o *Dicionário de Finanças e Investimentos Barron*, é: "Excesso de gastos sobre a renda, para um governo, corporação ou indivíduo." Observe as palavras "excesso de gastos sobre a renda". Gastar mais do que ganha é a causa de um orçamento deficitário. A maioria das pessoas vive com um orçamento deste tipo porque gastar é muito mais fácil do que ganhar dinheiro. Quando enfrenta uma situação de deficit, a maioria das pessoas escolhe cortar as despesas. Em vez de cortá-las, meu pai rico recomendava aumentar a renda. Ele achava que era mais inteligente expandi-la do que cortar gastos.

DEFICIT ORÇAMENTÁRIO DO GOVERNO

Quando se refere a orçamento deficitário do governo, o mesmo dicionário traz: "Um orçamento deficitário acumulado pelo governo federal tem de ser financiado com a emissão de títulos." Em outras palavras, o governo financia seus problemas vendendo dívidas que, em algum momento, terão que ser sanadas por meio do aumento de impostos dos trabalhadores e das empresas. Veja o primeiro diagrama a seguir.

DEFICIT ORÇAMENTÁRIO DE UMA EMPRESA

Ainda segundo o mesmo dicionário de finanças: "O orçamento deficitário das empresas deve ser reduzido ou eliminado com o aumento das rendas ou a redução de despesas, ou a empresa não sobreviverá em longo prazo." De novo, perceba as duas alternativas. Uma delas é aumentar as vendas, enquanto a outra é reduzir as despesas. Veja o segundo diagrama.

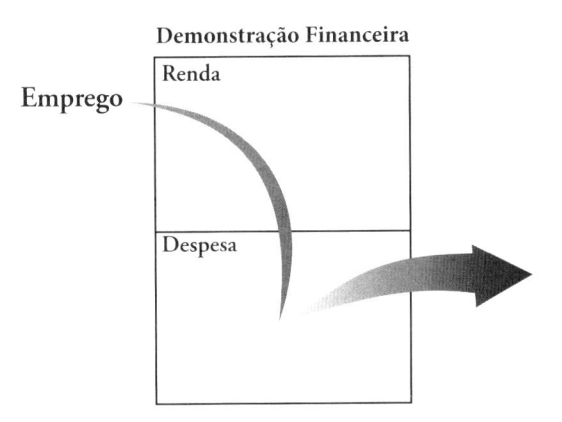

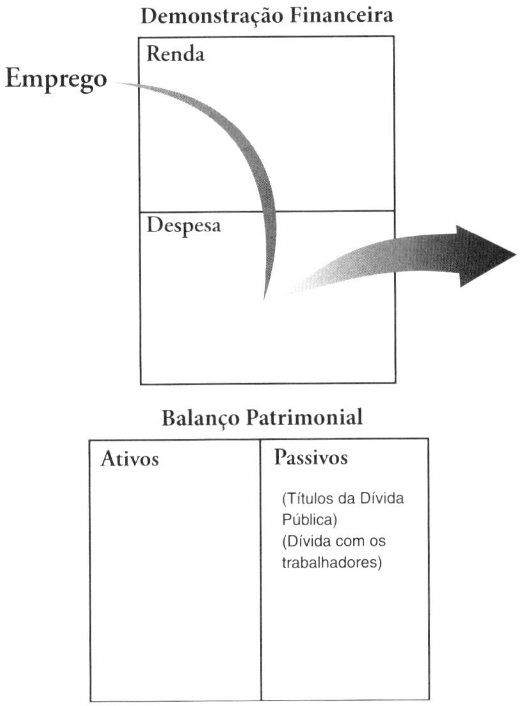

Demonstração Financeira

Renda	
Despesa	

Emprego

Balanço Patrimonial

Ativos	Passivos
	(Títulos da Dívida Pública)
	(Dívida com os trabalhadores)

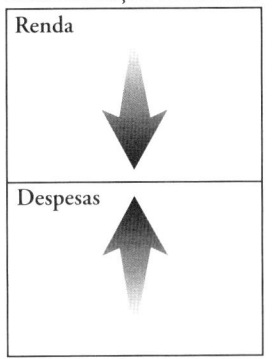

Demonstração Financeira

Renda
Despesas

Balanço Patrimonial

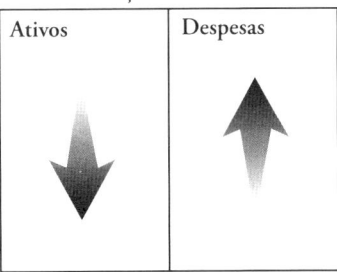

Ativos	Despesas

O pai rico recomendou que eu aceitasse meu trabalho na Xerox porque eu aprenderia a aumentar as vendas, o que, por sua vez, expandiria minha renda. Para muitas empresas e indivíduos, aumentar a renda é difícil. Para aquelas empresas que não conseguem vender, é mais fácil cortar despesas, aumentar dívidas (passivos) ou vender ativos. O problema com essa forma de agir é que, usualmente, isso faz com que a situação piore. Por isso meu pai rico recomendou aprender a vender. Se uma pessoa pode vender, então tem condições de aumentar sua renda. Na mente do pai rico, aumentar a renda em vez de reduzir despesas era a melhor maneira de resolver os problemas de um orçamento deficitário. Obviamente, se há despesas desnecessárias ou fúteis, como festas suntuosas ou dívidas contraproducentes — por exemplo, jatinhos executivos —, é melhor atacar a irresponsabilidade financeira causadora de problemas antes de tentar vender mais.

DEFICIT ORÇAMENTÁRIO DE UM INDIVÍDUO

"Indivíduos que consistentemente gastam mais do que ganham acumularão dívidas enormes que em algum momento não conseguirão pagar, o que os levará à insolvência", dizia o pai rico.

Como sabemos, muitas pessoas estão endividadas porque gastam mais do que ganham. Além do mais, como disse no capítulo anterior, uma das razões pelas quais as pessoas têm menos para gastar é porque os predadores financeiros estão tomando dinheiro dos trabalhadores antes mesmo de eles o receberem. A justificativa para isso é que a maioria não tem inteligência financeira para cuidar do próprio dinheiro. Se as escolas oferecessem educação financeira, talvez os trabalhadores pudessem administrar o próprio dinheiro, em vez de deixar que burocratas e banqueiros o gerissem por eles. O problema em deixar a administração de seu dinheiro nas mãos do governo e dos banqueiros é que eles pensam que o *seu* dinheiro é *deles.*

Olhando para a demonstração financeira de um indivíduo, o diagrama se parece com o que está exposto a seguir.

As pessoas do quadrante E, com frequência, não têm controle sobre quatro despesas importantes — impostos, previdência social, previdência privada e financiamento da casa própria. A partir do diagrama, você pode ver como os burocratas tomam dinheiro por meio de impostos e da previdência social, enquanto os banqueiros tomam dinheiro através da previdência privada e dos empréstimos imobiliários. Essas são as causas dos deficits orçamentários de muita gente.

Uma pessoa financeiramente inteligente tem controle sobre essas despesas.

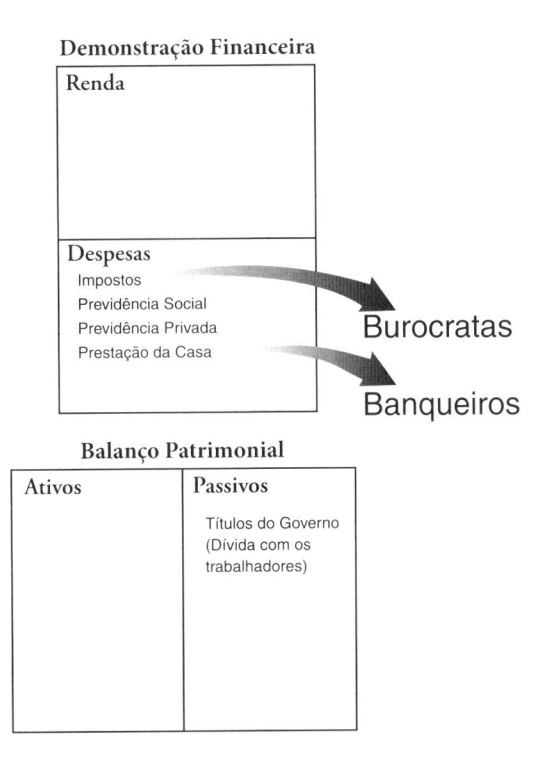

Demonstração Financeira

Renda

Despesas
- Impostos → Burocratas
- Previdência Social
- Previdência Privada → Banqueiros
- Prestação da Casa

Balanço Patrimonial

Ativos	Passivos
	Títulos do Governo (Dívida com os trabalhadores)

O Segundo Tipo de Orçamento: Superavitário

O dicionário de finanças diz que: "Um orçamento superavitário significa ter renda superior aos gastos, isso vale para governos, empresas ou indivíduos em determinado período de tempo."

Observe as palavras "*renda* superior aos gastos". Isso não significa necessariamente viver abaixo de nossas possibilidades. A definição não diz que um superavit é criado com uma redução de despesas, embora essa redução possa conduzir a um excesso de renda. Isso significa focar a criação de renda excedente — QI #1. O pai rico adorava as palavras "excesso de renda". Este capítulo é sobre *aumentar a renda*, em detrimento de reduzir despesas e viver abaixo de suas possibilidades.

SUPERAVIT ORÇAMENTÁRIO DO GOVERNO

Diz o dicionário financeiro Barron: "Um governo com superavit deve dar início a novos programas governamentais ou cortar impostos."

Há alguns problemas com esta afirmação. O primeiro é que, quando o governo consegue superavit em sua renda, ele o gasta. Eis como o governo contrata serviços: se um órgão do governo é eficiente e poupa dinheiro, é punido, em vez de recompensado, com um corte no orçamento do ano seguinte. Para evitar isso, todos os órgãos do governo gastam tudo que foi orçado, mesmo que não precisem. Isso significa que os custos sobem continuamente e as chances de ocorrer um superavit orçamentário no governo vão de mínima a nenhuma. Em outras palavras, as burocracias governamentais propositalmente operam com deficit. Assim, não importa quem esteja no governo, os impostos subirão. Os dois diagramas a seguir representam formas de governar que podem ser observadas em vários países ao longo da história.

Demonstração Financeira

Renda
Aumento de Impostos

Despesas
Aumento das Despesas

Balanço Patrimonial

Ativos	Passivos
Redução de Ativos	Aumento dos passivos por meio de programas sociais

Demonstração Financeira

Renda
Corte Orçamentário por meio de redução de impostos
Aumenta a receita por endividamento
Despesas
Gasta o imposto com os negócios dos amigos

Balanço Patrimonial

Ativos	Passivos
	Títulos da Dívida Pública

SUPERAVIT ORÇAMENTÁRIO DE UMA EMPRESA

Diz o dicionário: "Uma corporação com um superavit deve expandir seus negócios por meio de investimentos ou aquisições, ou pode escolher recomprar suas ações em bolsas de valores."

Observe as duas maneiras de expandir um negócio: investimento ou aquisição. Uma empresa gasta para se expandir ou adquire outra empresa. Se uma empresa não pode se expandir por meio de investimentos ou aquisição, pode recomprar suas ações em bolsas de valores. Esta recompra significa que a empresa sente que não pode expandir seus negócios e opta por comprar a si própria. Se esta decisão provocar um aumento no valor das ações, muitos acionistas ficarão felizes, ainda que a empresa não esteja crescendo.

Sempre que escuto que uma empresa recomprou as próprias ações, percebo que pode significar coisas diferentes. Uma recompra de ações pode representar uma estagnação no crescimento da empresa e que seus executivos não sabem como fazer que volte a crescer. Isso não é um bom sinal para os investidores. Em vez de comprar mais ações quando o preço sobe, talvez seja a hora de vendê-las.

Uma recompra também pode significar que os executivos acham que os preços estão muito baixos comparados ao valor dos ativos da empresa. Neste caso, então, os investidores deveriam comprar mais, à medida que o preço sobe.

Em outras palavras, um superavit de uma empresa nos diz coisas diferentes sobre o negócio e seus executivos.

SUPERAVIT ORÇAMENTÁRIO DE UM INDIVÍDUO

Segundo o *Barron*: "Um indivíduo com superavit orçamentário deve escolher entre liquidar *dívidas* ou aumentar os *gastos* ou *investimentos*."

Note que o dicionário oferece três opções aos indivíduos: liquidar dívidas, gastar mais dinheiro ou investi-lo. Como quase todos sabemos, tantas pessoas enfrentam problemas financeiros porque aumentam seus gastos e suas dívidas e reduzem os investimentos.

Duas Escolhas

Quando se trata do QI #3, existem apenas duas escolhas — deficit ou superavit. Se quiser ser rico, escolha um orçamento superavitário. E a maneira de criá-lo é aumentar a renda, não reduzir as despesas.

ORÇAMENTO DEFICITÁRIO

Tenho um amigo em Atlanta que sempre ganha muito dinheiro. Se ele parar de ganhá-lo, os problemas financeiros o destruirão; ele optou por um orçamento deficitário.

Sempre que Dan consegue fazer mais dinheiro, compra uma casa maior, um carro novo ou faz uma viagem suntuosa com seus filhos. Aliás, ele tem outro péssimo hábito: a cada 10 anos, em média, se casa com uma mulher mais jovem, com quem tem novos filhos. Dan está envelhecendo, mas suas esposas sempre têm mais ou menos a mesma idade — 25 anos. Ele é um especialista em ganhar dinheiro e arrumar problemas financeiros cada vez piores por meio de deficits.

ORÇAMENTO SUPERAVITÁRIO

A segunda escolha financeira é planejar para um orçamento superavitário. Após ganhar dinheiro e protegê-lo, fazer um orçamento que lhe dê superavits é essencial para atingir a completude financeira.

A seguir, está uma série de lições que aprendi com meu pai rico e com outras pessoas ricas sobre fazer orçamentos que nos conduzam a superavits.

Dica de Orçamento #1: Um Orçamento Superavitário É uma Despesa.
Esta é uma das melhores lições financeiras que meu pai rico passou para mim e para seu filho. Veja o diagrama a seguir:

Demonstração Financeira

Renda	
Despesas	
Poupar	
Doar	
Investir	

Balanço Patrimonial

Ativos	Passivos

Explicando um pouco mais, ele disse que tanto governos, empresas e indivíduos falham na criação de orçamentos com superavit porque pensam que este tipo de orçamento se parece com o seguinte cenário.

Demonstração Financeira

Renda

Despesas

Balanço Patrimonial

Ativos	Passivos
Poupar Doar Investir	

Em *Pai Rico, Pai Pobre*, escrevi sobre a importância de *pagar a si mesmo em primeiro lugar.* O primeiro quadro é um exemplo disso. O segundo, um exemplo de pagar a si próprio por último.

A maioria das pessoas sabe que deve poupar, doar e investir. O problema é que, após pagar suas despesas, não sobra dinheiro para nada disso. A razão é que consideram poupar, doar e investir a última prioridade.

Deixe-me ilustrar o que estou dizendo. Ao olhar para as demonstrações financeiras de uma pessoa, você percebe quais são suas prioridades.

Demonstração Financeira

Renda
1ª Prioridade

Despesas
3ª Prioridade

Balanço Patrimonial

Ativos	Passivos
4ª Prioridade	2ª Prioridade

Em outras palavras, em sua maioria, as prioridades da classe média são:

Prioridade #1: Conseguir um emprego bem-remunerado

Prioridade #2: Pagar o financiamento da casa e do carro

Prioridade #3: Arcar com as contas

Prioridade #4: Poupar, doar e investir

Ou seja, *pagar a si mesmo* é sua última prioridade.

O Superavit Precisa Ser Prioridade

Para criar um orçamento deste tipo, o superavit precisa ser prioridade. A melhor maneira de fazer isso é *repriorizar* seus hábitos de consumo. Faça de "poupar, doar e investir" ao menos a prioridade #2, e liste-a como despesa em sua demonstração financeira.

MAIS FÁCIL FALAR DO QUE FAZER

Sei que a maioria de vocês pode concordar com a lógica do que afirmo e também concordar com o fato de que as pessoas precisam tornar *poupar*, *doar e investir* uma prioridade mais relevante. Mas também sei que é mais fácil falar do que fazer. Então, vou lhe contar como Kim e eu resolvemos este problema.

Logo após nos casarmos, tínhamos os mesmos problemas financeiros que quaisquer recém-casados: mais despesas do que renda. Para resolver este problema, contratamos Betty, uma contadora. Ela foi instruída a registrar 30% de toda a nossa renda, considerá-la despesa e colocar o dinheiro na coluna dos ativos.

Usando números simples como exemplo, se tivéssemos US$1 mil de renda e US$1.500 em despesas, Betty deveria pegar 30% dos US$1 mil e colocar na coluna dos ativos. Com os US$700 restantes, pagaria os US$1.500 das despesas.

Betty quase desmaiou, achando que éramos doidos: "Vocês não podem fazer isso, precisam pagar as contas." Ela pensou seriamente em se demitir. Veja, Betty era uma contadora fantástica, mas controlava orçamentos como uma pessoa pobre. Primeiro, pagava a todos e deixava a si própria por último. Como raramente sobrava alguma coisa, pagava a si mesma... *nada*. Seus credores, o governo e os banqueiros eram todos muito mais importantes do que ela própria.

Betty combateu a ideia e resistiu. Todo o seu treinamento dizia que deveria pagar a todos antes. A ideia de não pagar contas ou impostos a fazia estremecer.

Finalmente, ela compreendeu que estava nos fazendo um favor. Expliquei a ela que nos ajudava a resolver um problema financeiro enorme: o de não ter dinheiro suficiente — e, como você sabe, resolver problemas nos torna proficientes. Quando compreendeu que, na verdade, criava renda por meio de despesa, resolveu concordar com o plano que havíamos criado para gerar superavit. Para cada dólar de renda, Betty tirava US$0,30 e seguia com a ideia do poupar, doar e investir. Ela sabia que poupar, doar e investir era uma despesa necessária para criar superavit, nossa primeira e mais importante prioridade.

Com os US$0,70 que sobravam, pagava impostos e passivos, como a prestação de nossa casa e do carro, e, depois, contas como luz, água, comida, roupas etc.

Não é necessário dizer que, durante muito tempo, não tínhamos o dinheiro todo do mês. Ainda que pagássemos a nós mesmos, não tínhamos o suficiente para pagar os outros. Houve meses em que faltou algo como US$4 mil. Poderíamos ter pago com os US$4 mil de nossos ativos, mas aquele era o *nosso* dinheiro: a coluna dos ativos pertencia a nós dois.

Em vez de se apavorar, Betty fora instruída a se sentar conosco e nos informar quanto faltava a cada mês. Após um suspiro, Kim e eu dizíamos: "Hora de voltar ao QI #1." Com isso em mente, Kim e eu procurávamos rapidamente conseguir dinheiro. Kim, com sua experiência em marketing, com frequência procurava as empresas e oferecia consultoria. Ela também produziu uma coleção de roupas e as vendeu. Eu oferecia ensinamento sobre investimentos ou marketing e vendas. Por alguns meses, treinei equipes de vendas na imobiliária local. Até mesmo ajudei uma família a se mudar e outra a limpar um terreno para construir.

Em outras palavras, engolíamos nosso orgulho e fazíamos o que quer que fosse para conseguir dinheiro extra. De algum modo, sempre conseguimos, e Betty ficou conosco e nos deu assistência tanto com o processo quanto com a solução de nosso problema, ainda que se preocupasse mais com isso do que nós mesmos.

Infelizmente, Betty nos ajudou, mas não quis fazer o mesmo por si própria. Da última vez que ouvimos falar dela, soubemos que havia se aposentado e estava vivendo com sua filha solteira. Elas não tinham um orçamento superavitário; limitavam-se a dividir as despesas com a aposentadoria oficial de Betty.

Investindo Nosso Dinheiro

Em 1989, Kim comprou sua primeira casa para alugar. Ela deu US$5 mil de entrada e conseguiu US$25 por mês de fluxo de caixa positivo. Hoje, Kim controla uma carteira multimilionária de imóveis, com mais de mil unidades alugadas, e continua crescendo. Se não tivéssemos feito do ato de investir uma despesa e pagado a nós mesmos primeiro, provavelmente ainda estaríamos pagando todos os outros antes.

POUPANÇA

Poupamos nosso dinheiro até uma quantia em *espécie* que superou o total de despesas de um ano inteiro. Em vez de guardar o dinheiro em um banco comercial, compramos fundos de índices de ouro e prata. Isso significa que, se precisarmos de dinheiro, ou seja, liquidez, nossos ativos líquidos estão em certificados de ouro e prata, não em dinheiro no banco. Como você sabe, não gosto do dólar, porque ele não para de perder valor. Além disso, investir em ouro e prata me impede de gastar. Detesto trocar ouro e prata por dólares. Isso é trocar um ativo que se valoriza por uma mercadoria que se deprecia.

DEUS É NOSSO SÓCIO

Quanto às doações, continuamos a doar grandes quantias a instituições de caridade. É importante doar. Como dizem meus amigos religiosos: "Deus não precisa receber, mas os seres humanos precisam doar." Além disso, doamos porque é uma forma de pagar nosso sócio — Deus. Ele é o melhor sócio que já tivemos. Pede 10% e nos deixa manter os outros 90%. E você sabe o que acontece se deixa de pagar seus sócios? Eles param de trabalhar para você. É por isso que doamos.

FALTANDO DINHEIRO

Quando optamos por um orçamento superavitário, a primeira coisa que Kim e eu descobrimos foi que não estávamos ganhando dinheiro suficiente. Um dos benefícios de não ter o suficiente todos os meses foi que encaramos logo o problema da insuficiência. Suspeito que há pessoas que não têm o suficiente hoje e não terão tarde na vida, quando a capacidade de trabalho se esgotar. Então, poderá ser muito tarde para resolver esta questão.

Como eu disse no começo deste livro, se você não resolver um problema, ele estará sempre presente em sua vida. Os problemas não se resolvem sozinhos. Foi por isso que decidimos pagar a nós mesmos primeiro, bem jovens, ainda que não tivéssemos o suficiente para passar o mês. Isso nos forçou a resolver nosso problema de falta de dinheiro.

QUEM RECLAMA MAIS ALTO

Quando pagamos a nós mesmos em primeiro lugar, os primeiros a reclamar são os bancos e as pessoas a quem devemos dinheiro. Em vez de nos levar a pagar quando nos intimidaram, nos levaram a aumentar nosso QI #1.

Muitas pessoas não pagam a si mesmas primeiro porque ninguém grita com elas. Ninguém contrata um cobrador para bater à porta a fim de cobrar de si próprio. Em outras palavras, não colocamos pressão sobre nós mesmos se não nos pagarmos. Ainda assim, nos curvamos à pressão de nossos credores e os pagamos. Kim e eu adotamos as táticas de pressão de nossos credores de nossa coluna de despesas para nos motivar a fazer mais dinheiro e aumentar nossa renda.

Dica de Orçamento #2: A Coluna de Despesas É a Bola de Cristal. Se quiser predizer o futuro de alguém, basta olhar suas despesas mensais. Por exemplo:

Pessoa A	Pessoa B
Dízimo da igreja	Seis caixas de cerveja
Poupança	Sapatos novos
Livro de investimento	Televisão nova
Seminário de investimento	Entradas para o futebol
Academia	Seis caixas de cerveja
Doação para a caridade	Sacos de batata frita
Professor particular	Seis caixas de cerveja

"Podemos predizer o futuro de alguém apenas olhando como gasta seu tempo e dinheiro", dizia meu pai rico, completando, "tempo e dinheiro são ativos de muita importância. Use-os com sabedoria."

Você pode dizer o quanto um orçamento superavitário é importante para alguém apenas olhando sua coluna de despesas, por exemplo:

Demonstração Financeira

Renda
Salário

Despesas
Imposto sobre a renda
Previdência Social
Previdência Privada
Empréstimo imobiliário
Prestações do carro
Contas do cartão de crédito
Alimentação
Vestuário
Gasolina
Eletricidade

Balanço Patrimonial

Ativos	Passivos
	Empréstimo imobiliário
	Carro
	Dívida do cartão de crédito
	Aposentadoria

Observe quanto é usado para pagar primeiro outras organizações ou pessoas. Veja que coloquei a aposentadoria como um passivo. Em termos técnicos, é um passivo até se tornar um ativo. E, se você faz uma previdência privada para sua aposentadoria em um banco, pagará taxas altíssimas, porque este tipo de previdência é taxado como renda.

Compare a coluna das despesas do pague a si mesmo em primeiro lugar.

Demonstração Financeira

Renda
Receitas de negócios

Despesas
Dízimo
Poupança
Investimentos
Impostos
Empréstimo imobiliário
Despesas correntes

Balanço Patrimonial

Ativos	Passivos
Negócios	
Investimentos	
Reservas líquidas	

Lembre-se disto: sua coluna de ativos é *sua* coluna. Se não pagar a si mesmo em primeiro lugar, ninguém mais o fará. Por meio de suas despesas diárias, você determina seu futuro financeiro.

Dica de Orçamento #3: Meus Ativos Pagam Meus Ativos. Meu pai pobre acreditava em barganhas. Ele pensava que ser frugal era uma forma inteligente de orçar a renda. Nós vivíamos em uma casa comum, em uma vizinhança comum. Meu pai rico adorava o luxo. Vivia em uma casa fabulosa, em uma vizinhança abastada, e seu estilo de vida era de abundância. Ele não gostava de ser pão-duro; ainda assim, era cuidadoso com seu dinheiro.

Se meu pai pobre desejasse um objeto de luxo, simplesmente se recusava a adquiri-lo. "Não posso comprar", dizia ele. Se meu pai rico desejasse tal objeto, simplesmente se perguntava: "Como poderei comprá-lo?" E o jeito para conseguir era criar um ativo na coluna de ativos, um que pudesse pagar por um passivo. Sua demonstração financeira era algo assim:

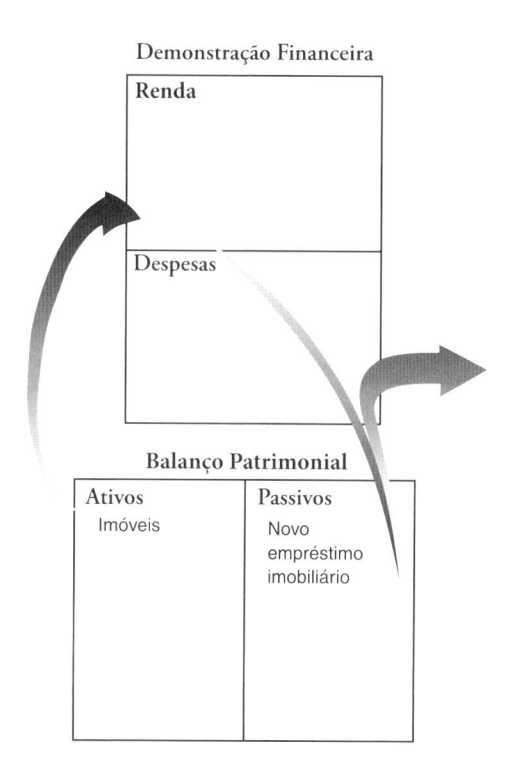

Demonstração Financeira

Renda
Despesas

Balanço Patrimonial

Ativos	Passivos
Imóveis	Novo empréstimo imobiliário

Em outras palavras, ele adquiria ativos pagando a si mesmo em primeiro lugar. Com o fluxo de caixa dos ativos, comprava seus passivos de luxo. Se quisesse grandes luxos, primeiro criava bons ativos. O que muitas pessoas fazem é comprar coisas caras primeiro, e depois não conseguem nunca dinheiro suficiente para comprar ativos. Insisto, trata-se de uma questão de prioridade.

A Conta do Bentley

Dois anos atrás, eu quis um carro novo — um Bentley conversível. Preço: US$200 mil. Eu tinha o dinheiro em minha coluna de ativos e poderia comprar o carro à vista. O problema de comprar um Bentley novo à vista é que o carro passa a valer US$125 mil no momento em que o tiro da concessionária. Este não é um uso muito inteligente do dinheiro.

Em vez de gastar o dinheiro, liguei para meu corretor de ações, Tom, e autorizei a conversão em espécie de US$200 mil de alguns de meus investimentos em ouro e prata. O trabalho dele era pegar esses US$200 mil em espécie e transformá-los em US$450 mil. O projeto recebeu o nome de *A Conta do Bentley*. Tom precisou de cerca de oito meses, mas finalmente me ligou e disse: "Pode comprar seu Bentley agora." Então, preenchi um cheque e paguei o carro com o dinheiro que havia sido criado com meus ativos. A transação foi mais ou menos a seguinte:

Posição do balanço patrimonial no início da transação

Balanço Patrimonial

Ativos	Passivos
$200 mil em dinheiro	

Posição do balanço patrimonial no final

Balanço Patrimonial

Ativos	Passivos
$200 mil em dinheiro	Bentley

Eu precisava trocar os ativos por US$450 mil, e não US$400 mil, porque os US$50 mil extras seriam usados em impostos sobre ganhos de capital e na comissão de Tom. Ao final do dia, eu tinha meu Bentley e também os US$200 mil originais.

Se eu tivesse feito o pagamento do carro à vista, sem a aquisição de ativos, meu balanço patrimonial teria terminado assim:

Balanço Patrimonial

Ativos	Passivos
	Bentley

Eu teria perdido meus US$200 mil em certificados de ouro e prata mais US$75 mil na depreciação instantânea assim que tirasse o carro do estacionamento da concessionária.

No capítulo sobre o QI #2, escrevi sobre como bons corretores podem enriquecê-lo e maus corretores vivem arranjando desculpas. A conta do Bentley é um exemplo de um bom corretor de ações que me enriquece e me faz feliz ao permitir que eu reúna condições de possuir os luxos da vida. Assim, continue procurando por um bom corretor, se ainda não tiver um.

Ativos = Passivos de Luxo

Um dos benefícios de ser autor é que, quando quero um novo passivo, primeiro escrevo um livro, como este aqui, e os direitos autorais do livro pagam por meus passivos. A transação futura parece a seguinte:

Balanço Patrimonial

Ativos	Passivos
Este livro	Passivos futuros

A esta altura, creio ser benéfico relembrar a você do que é um ativo e um passivo. Em *Pai Rico, Pai Pobre*, os defino de maneira bastante simples: ativo é algo que *põe* dinheiro em seu bolso, enquanto passivo é algo que o *tira*. Não há nada de errado em ter passivos — contanto que continue pagando a si mesmo primeiro e os adquira com a renda gerada pelos ativos. No exemplo anterior, usei meus ativos para comprar meus passivos e, no final, ainda tinha o ativo e meu Bentley.

Exemplos de outros ativos comprando passivos são mostrados no diagrama a seguir.

Balanço Patrimonial

Ativos	Passivos
Apartamento	Residência permanente

Balanço Patrimonial

Ativos	Passivos
Produção de petróleo	Casa de praia

Esses são exemplos reais de como Kim e eu aproveitamos nossos desejos por coisas luxuosas para nos fazer ainda mais ricos, não mais pobres. Como eu disse anteriormente, não acredito em "viver dentro das possibilidades". Acredito em primeiro expandir minha renda para depois curtir a vida. Uma pessoa com QI Financeiro baixo sabe apenas como viver dentro de suas possibilidades: cortando despesas. Se você não se permite os luxos da vida, então por que viver?

> ***Dica de Orçamento #4: Gaste para Ficar Rico.*** Quando a situação se torna difícil, a maioria das pessoas reduz as despesas em vez de gastar. Esta é uma das razões pelas quais tantas pessoas não conseguem adquirir e manter a riqueza.

Por exemplo, no mundo corporativo, quando as vendas de uma empresa começam a cair, uma das primeiras coisas que os gestores fazem é cortar despesas. E uma das primeiras despesas que cortam são marketing e propaganda. Sem as propagandas, as vendas caem ainda mais e os problemas só se agravam.

Um sinal de alta inteligência financeira é saber quando gastar e quando reduzir. Quando Kim e eu percebíamos que estávamos com problemas, em vez de permitir que nossa contadora, Betty, reduzisse nossas despesas e pagasse as contas primeiro, utilizávamos intensamente as vendas, o marketing e a propaganda. Gastávamos tempo, dinheiro e energia aumentando nossa renda. Não cortávamos nossas despesas.

No local de trabalho, há muitos proprietários ou gerentes que se aproveitam das pessoas fracas — as que precisam de emprego e dinheiro. Há pessoas que usam a fraqueza dos trabalhadores para enfraquecê-los ainda mais. Por exemplo, há grandes empresas que cortam os salários ou aumentam as tarefas para fazer com que as pessoas trabalhem mais. Se você se demite, sabem que haverá alguém que ocupará seu lugar. É assim que o jogo funciona.

As coisas eram deste jeito na Xerox. Quando eu estava me saindo bem, em vez de me darem aumento, diminuíam meu território, aumentavam minhas quotas e reduziam o salário. Foi a forma que encontraram para aumentar minha produtividade. A princípio, fiquei furioso, quis me demitir e... quase fiz isso mesmo.

Se não fosse por meu pai rico, eu provavelmente teria desistido. Meu pai rico me mostrou que a Xerox estava me ensinando, sob diferentes formas, os caminhos do empreendedorismo. Eles me treinavam a fazer mais com menos. Estavam me fortalecendo. Uma vez que pude perceber os benefícios que fariam de mim um homem de negócios muito mais treinado, aprendi a lidar com a pressão e a usei a meu favor.

Quando Kim e eu pedimos a Betty para primeiro nos pagar, antes de impostos e contas, foi a nossa forma de nos fortalecer, nos viabilizar para o mundo dos negócios. Em vez de chorar, de nos encolher de medo e pagar os credores quando ligavam nos ameaçando, usávamos a energia deles para nos empurrar para fora de casa e buscar mais dinheiro.

Se as pessoas me criticam e contam mentiras para me derrubar, uso sua negatividade para ser ainda mais positivo e determinado a vencer.

Assim que os problemas surgem, os utilizo para me tornar ainda mais competente e superior aos próprios problemas.

Um Dia de Cada Vez

Fazer orçamentos é um processo importante de aprendizagem e desenvolvimento da proficiência financeira. Encare um problema de cada vez. Em vez de brigar por causa de dinheiro, Kim e eu usamos o processo para discutir e aprender mais sobre dinheiro e nós mesmos. Pensamentos positivos não ocorrem da noite para o dia, mas acabam surgindo. Se trabalhar atenciosamente na criação de um orçamento superavitário, enriquecerá sua vida. Orçamento é isto — usar o que tem, ainda que seja falta de dinheiro, para fazer de si mesmo uma pessoa melhor, mais forte e rica.

Como Ser Pobre Pode Enriquecê-lo

Relembrando a definição de um orçamento: *Um plano para equilibrar recursos e despesas.* Você deve ter notado que não se trata de equilibrar dinheiro, mas sim os recursos. Uma lição importante do pai rico foi que *um problema financeiro é um recurso* — se você resolvê-lo. Se aprender a enfrentar problemas financeiros, como dinheiro insuficiente, um chefe ruim ou uma montanha de dívidas, e usá-los como recursos e oportunidades para aprender, com certeza criará, ainda que lentamente, um superavit em seu orçamento.

Na verdade, a lição que meu pai rico me ensinou sobre inteligência financeira foi sobre ser criativo e diligente diante de situações complicadas. "Quando era criança, eu era pobre. Hoje, sou rico porque vi que ser pobre poderia ser uma oportunidade, um recurso importante que Deus me deu para usar e enriquecer", disse ele.

Dívidas Boas e Ruins

Existem dois tipos de dívidas: boas e ruins. Dito de maneira simples, a boa o torna mais rico e alguém a amortiza para você. A dívida ruim o torna mais pobre, e você mesmo precisa amortizá-la.

O dinheiro leva as pessoas a fazerem coisas tolas. Por exemplo, muitas cometem atrocidades financeiras, como comprar uma casa com crédito imobiliário; depois, sem dinheiro, usam mais crédito para construir uma piscina e fazer uma reforma, não conseguem e, em algum momento, precisam vender a casa para pagar os credores.

Um problema sério no mundo de hoje é o excesso de dívida. A ruim tem origem em um passivo. Elas acabam com países, negócios e pessoas. Uma das formas de se tornar rico é ver as dívidas ruins como uma oportunidade, um recurso para enriquecer, e não empobrecer.

Se uma dívida ruim o estiver impedindo de avançar, então provavelmente você é seu próprio inimigo. Quando as pessoas usam dívidas ruins para resolver problemas, eles inevitavelmente pioram. Minha sugestão é olhar para o problema das dívidas ruins como uma oportunidade para aprender e se tornar mais experto.

Após o fracasso de um de meus negócios, quase perdi US$1 milhão. Depois de vender ativos pessoais e da empresa, ainda devia US$400 mil. Para resolver este problema de dívida ruim, Kim e eu traçamos um plano para eliminá-la. Mais uma vez, em vez de reduzir despesas, instruímos nossa contadora a manter o ritmo e usamos o problema para enriquecer, e não empobrecer. Em outras palavras, enriquecemos enquanto estávamos pagando nossas dívidas. Continuamos a fazer doações, pagar o dízimo, poupar e investir, enquanto, agressivamente, pagávamos todas as nossas dívidas ruins. (Para saber como fizemos isso, criamos um material chamado *How We Get out of Debt* ["Como Saímos das Dívidas Ruins", em tradução livre], que é encontrado, em inglês, em nosso site, richdad.com.)

Rememorando essa montanha de dívidas, fico feliz em saber que Kim e eu aprendemos a planejar nossos orçamentos por meio da resolução de problemas. Ainda que eu nunca mais queira ter tantas dívidas ruins, aprendi com elas, e resolvi o problema.

Quando Kim e eu ficávamos sem dinheiro, usávamos aquela experiência como recurso para fazer ainda mais dinheiro. Em vez de viver abaixo das possibilidades ou emprestar mais dinheiro ruim para pagar dívida ruim, usamos nossos problemas como recursos para nos tornar mais criativos e arrojados e, também, como oportunidade para aprender e ficar ainda mais ricos.

Resumo

O QI #3, assim como o QI #2, é medido em porcentagens de renda alcançada em sua coluna de ativos.

Se transformar 30% de sua renda em ativos for muito difícil, então comece com 3%. Por exemplo, se ganha $1 mil, em vez de alocar $300, ou 30%, para sua coluna de ativos, direcione 3%, ou $30. Se estes 3% fazem com que sua vida se torne mais árdua, isto é bom. Uma realidade complexa é uma coisa boa, torna você mais inventivo e ousado.

Quanto maior a porcentagem que direciona para a coluna de ativos, maior seu QI #3. Hoje, Kim e eu encaminhamos aproximadamente 80% de nossas rendas diretamente para a coluna de ativos, e fazemos o melhor possível para sobreviver com 20%. Além disso, nunca dizemos "não podemos", e *nos recusamos a viver abaixo de nossas possibilidades*. Ao manter a situação desafiadora, nos tornamos destemidos, criando uma vida abundante e um orçamento superavitário.

Capítulo 6

QI Financeiro #4: Alavancar Seu Dinheiro

EM AGOSTO DE 2007, O MERCADO DE AÇÕES RUIU. Os bancos centrais ao redor do mundo começaram a injetar bilhões de dólares em espécie na economia para se certificar de que o pânico não se espalharia.

O mercado continuou nervoso no dia seguinte. De manhã, enquanto me preparava para sair, assisti a uma entrevista na televisão, com três especialistas financeiros, que aconselhavam unanimemente: "Não entre em pânico. Mantenha o curso."

Quando foram solicitados a dar mais conselhos, os três disseram: "Poupe seu dinheiro, saia das dívidas e invista em longo prazo em uma carteira diversificada." Enquanto terminava de me barbear, fiquei imaginando se aqueles três consultores financeiros frequentaram a mesma escola de treinamento de papagaios.

Então, uma consultora disse algo diferente. Começou condenando o mercado imobiliário pela confusão no mercado de ações. Culpou os investidores gananciosos, os corretores imobiliários inescrupulosos e os predadores financeiros que estavam fornecendo empréstimos imobiliários para pessoas que não tinham condição de pagar (conhecido como mercado *subprime*, ou de crédito de alto risco).

Depois, a consultora completou: "Eu disse a meus clientes que o mercado imobiliário era arriscado, e continuo achando. Os investidores deveriam investir em ações de primeira linha e fundos de investimentos."

Enquanto a planejadora financeira atacava o mercado imobiliário na televisão, minha esposa, Kim, entrou no quarto e me disse: "Lembre-se de que hoje vamos fechar aquele acordo dos trezentos apartamentos."

Acenando com a cabeça, respondi: "Estarei lá."

Enquanto terminava de me vestir, pensei: "É engraçado, a consultora financeira dizendo que o mercado imobiliário é arriscado e que está em violenta crise justamente no instante em que Kim e eu compramos um complexo de US$17 milhões, com trezentos apartamentos, em Tulsa, Oklahoma — e estou bastante animado com isso. Será que estamos no mesmo planeta?"

Dois Pontos de Vista

Qual era a diferença entre a especialista financeira que enxergava o mercado imobiliário com negatividade e meu ponto de vista sobre esse tipo de investimento? Ou, por que, enquanto tantas pessoas estavam em estado de pânico, eu estava animado com a compra de uma propriedade enorme?

As respostas a estas questões estão neste capítulo, explicadas por meio de dois conceitos financeiros: alavancagem e controle.

Como já disse reiteradamente neste livro, as regras do dinheiro mudaram depois de 1971. Existem novas regras e um novo capitalismo. Com as pensões definidas, milhões de pessoas ao redor do mundo passaram a perder o controle sobre seus salários. Agora precisam poupar e investir em planos de previdência conhecidos como definidos, e que pagam segundo a contribuição que se faz ao longo da vida. O problema é que a maioria das pessoas tem pouco treino e educação para investir na própria aposentadoria. Outro problema é que as novas regras do capitalismo requerem que os trabalhadores invistam em ativos sobre os quais não têm controle, nem a possibilidade de alavancar. Durante algumas crises do mercado financeiro, o que a maioria pode fazer é observar, letárgica, enquanto o furacão devasta sua saúde e segurança financeira.

O novo capitalismo colocou o dinheiro de milhões de pessoas em investimentos que permitem pouca *alavancagem* ou *controle*. Como tenho *controle* sobre meus investimentos, em nosso exemplo do complexo de trezentos apartamentos, as crises do mercado não me afetam. Com controle, também tenho a confiança necessária para usar *alavancagem*. E, por causa das duas coisas, posso aumentar minha fortuna, em menos tempo, com pouco risco e ainda minimizar o efeito das oscilações do mercado.

Quanto É Necessário para a Aposentadoria?

Quanto uma pessoa deve poupar para conseguir se aposentar em épocas de economia inflacionária? O que acontece se você precisar de uma cirurgia urgente para salvar sua vida e não conseguir fazê-la pelo sistema público?

A perda do poder de compra faz com que o futuro dos trabalhadores seja incerto.

Sem a possibilidade de *alavancar*, a maioria dos trabalhadores não pode separar dinheiro suficiente para seu futuro porque, quanto mais dinheiro poupa, menos ele vale. Há uma narrativa engraçada sobre a economia da Alemanha, um pouco antes de Hitler assumir o poder, que ilustra esse conceito. É a história de uma mulher que encheu um carrinho de mão com dinheiro e foi à padaria comprar pão. Após negociar o preço, ela saía da padaria para pegar o dinheiro e descobriu que alguém havia roubado o carrinho de mão, mas deixara o dinheiro.

Por isso o QI #4 é tão importante. *Alavancagem* faz com que seu dinheiro trabalhe arduamente quando você usa o dinheiro de outras pessoas, e, se tiver um alto QI #3, ainda paga menos impostos.

O que É Alavancagem?

Em termos simples, a definição de alavancagem é *fazer mais com menos*. Uma pessoa que põe dinheiro no banco, por exemplo, não o está alavancando. É o próprio dinheiro da pessoa. A proporção do dinheiro no banco é de 1:1. Ou seja, o poupador coloca todo o dinheiro.

Para meu investimento nos trezentos apartamentos, meu banqueiro colocou 80% dos US$17 milhões. Ao usar o dinheiro do banco, minha alavancagem é 1:4; para cada centavo que coloco no negócio, o banqueiro me empresta quatro.

Então, por que a especialista em finanças disse na televisão que havia riscos no mercado imobiliário? Mais uma vez, a resposta é *controle*. Se falta inteligência financeira a um investidor para controlar seus investimentos, o uso de alavancagem é muito arriscado. Como a maioria dos planejadores financeiros coloca o dinheiro das pessoas em investimentos sobre os quais eles próprios não têm nenhum *controle*, obviamente não usam *alavancagem*. Usá-la para investir em algo que você não controla seria como comprar um carro sem o volante e pisar fundo no acelerador.

Meu Patrimônio Não Se Baseia em Patrimônio Líquido

O patrimônio líquido é o valor de suas posses menos as dívidas. Quando uma propriedade se valoriza, a maioria das pessoas sente que seu patrimônio líquido aumentou. Aqueles que já leram meus livros sabem qual é minha opinião sobre patrimônio líquido: algo inútil, por três razões.

1. Ele comumente se baseia em *opiniões*, não em *fatos.* O valor de uma casa é apenas uma estimativa. Você não sabe o valor real de um imóvel até que seja vendido. Isso significa que muitas pessoas inflacionam o valor estimado de suas casas. Elas só conhecerão o preço e o valor real quando as venderem.

2. Em geral, o patrimônio líquido se baseia na posse de objetos cujos valores são declinantes. Quando preencho uma aplicação para crédito, posso colocar a lista da maioria de minhas posses na coluna de ativos: carros, motos e até geladeira e televisão usadas, conforme o caso. Ora, você e eu sabemos que uma televisão usada tem pouco valor, e um carro usado tem um valor consideravelmente menor do que um novo.

3. Se o valor de objetos usados sobe, isso é sinal de que a moeda perdeu valor. Em outras palavras, a casa e o carro não estão se valorizando. Apenas é necessário mais dinheiro para comprá-los.

O Maior Medo dos Políticos

O maior medo dos políticos e burocratas são as pessoas se sentindo mal, por isso é necessário manter uma ilusão de prosperidade. Ao longo da história, reis, rainhas e governantes foram depostos ou até mesmo executados quando o povo se *sentia mal*. Você provavelmente se lembra dos franceses guilhotinando a cabeça de sua rainha Maria Antonieta ou do povo russo executando o último czar, sua esposa e filhos.

O capitalismo antigo era baseado em princípios econômicos muito rígidos. O novo se fundamenta na economia do bem-estar social. Contanto que o patrimônio líquido das pessoas continue subindo, a ilusão de prosperidade, ancorada em dívidas, e não em produção, permanece. Quem precisa de liberdade quando se *tem patrimônio*? Se o sonho se tornar um pesadelo e a bolha do bem-estar explodir, cabeças rolarão. Poderão não rolar fisicamente, mas muitas cairão simbolicamente nas esferas política, profissional e financeira.

Valor que Não Se Escora na Inflação

O valor de meus apartamentos de US$17 milhões não se escora em inflação ou valorização do complexo. Ainda que preço seja importante, não conto com o aumento do preço de meus prédios por conta de alguma condição mágica do mercado. Nem suponho um aumento de meu patrimônio líquido para me sentir bem. Muito menos estou preocupado em me sentir mal por causa de uma crise do mercado. É por isso que suas oscilações não me preocupam muito.

O valor de meus apartamentos é medido pelo aluguel que meus inquilinos pagam. Em outras palavras, *o verdadeiro valor da propriedade é aquele que meus inquilinos pensam que a propriedade vale.* Se um inquilino pensa que US$500 é um bom valor por mês, então *é* isso que a propriedade vale. Se eu conseguir aumentar o *valor percebido* por meus inquilinos, eu — não o mercado — aumentei o valor de minha propriedade. Se eu aumentar o valor do aluguel sem aumentar o *valor percebido*, o inquilino muda para um prédio mais abaixo na minha rua.

O valor do *aluguel*, de meus apartamentos neste caso, depende de empregos, salários, localização, indústrias locais e oferta e procura de propriedades de aluguel de baixo custo. Em uma crise do setor imobiliário, a demanda por propriedades de aluguel, com frequência, aumenta, o que significa que a demanda e os aluguéis crescem. Se o aluguel sobe, o valor de meus ativos imobiliários sobe, mesmo que o valor real das propriedades caia.

Há três razões específicas para eu não estar preocupado com crises do mercado em se tratando desta compra. Uma é a localização. Tulsa, em Oklahoma, passa por uma ascensão favorecida pelos altos preços de petróleo, e há muitos empregos bem-remunerados. A indústria de petróleo precisa de trabalhadores temporários que alugam casas e apartamentos. A segunda razão é que há uma universidade perto do local, e a maioria dos estudantes procura por casas e apartamentos de aluguel de baixo preço. A terceira razão é que a taxa de juros dos empréstimos imobiliários, neste momento, estão bem baixas nos Estados Unidos. Então, os três fatores — baixa taxa de juros, renda crescente e despesas baixas — valorizarão a propriedade, e não as flutuações do mercado.

Essa propriedade, neste momento, me oferece *controle* e *alavancagem*. Meu trabalho como investidor desse complexo é aumentar minha alavancagem de 1:4 para possivelmente 1:10; isto é, dobrar o valor da propriedade por meio de operações, e não do mercado. E posso fazer isso desde que tenha controle.

Alavancagem Não É Arriscado

Muitos consultores financeiros dirão a você que quanto maiores os retornos, maiores os riscos. Em outras palavras, *alavancar* é arriscado. Isso é absolutamente falso. A alavancagem é arriscada unicamente quando as pessoas investem em ativos sobre os quais não têm nenhum controle. Se houver controle, a alavancagem pode ser aplicada com pouco risco. A maioria dos especialistas afirma que quanto maior o risco maior o retorno simplesmente porque vendem apenas investimentos que permitem pouco controle.

Como mencionei antes, meus apartamentos de US$17 milhões em Tulsa são um bom investimento para usar alavancagem porque tenho controle das operações, e elas (isto é, a quantidade de renda passiva gerada por meio dos aluguéis) determinam o valor dos investimentos. Uma casa não é um bom investimento, e a alavancagem é arriscada neste caso porque você não tem controle sobre o valor da casa. Este valor se baseia no mercado e no poder de compra da moeda com a qual a casa foi adquirida. Estas coisas estão fora de controle.

O que É Controle?

O maior problema com ativos financeiros como poupança, ações, renda fixa e fundos de investimentos é a *falta* de controle. E, como você não tem controle, é difícil e arriscado utilizar alavancagem. Como este tipo de ativo oferece pouco controle, é difícil conseguir alguém que empreste dinheiro para você investir nele. Então, o que é controle?

O diagrama das demonstrações financeiras a seguir ilustra quatro dos principais controles que um investidor profissional e um banqueiro querem.

Demonstrações Financeiras

Renda
Vendas
Aluguéis

Despesas
Custos Operacionais

Balanço Patrimonial

Ativos	Passivos
Negócios	Dívidas
Imóveis	

Como empresário, tenho controle sobre as quatro colunas de demonstrações dos meus negócios. Como investidor em imóveis, também.

Inteligência Financeira É o Segredo

A inteligência financeira aumenta o controle, enquanto o QI financeiro mede os retornos da inteligência financeira.

Tome o condomínio de trezentos apartamentos como exemplo.

1. A Coluna da Renda. O primeiro passo após adquirir a propriedade é aumentar o aluguel. A propriedade já é lucrativa e há fluxo de caixa com os aluguéis correntes. Em outras palavras, faço dinheiro desde o primeiro dia. Ainda assim, o objetivo do negócio é aumentar o aluguel em um adicional de US$100 por mês por unidade ao longo dos próximos três anos, da seguinte forma:

a. Aumentar os aluguéis correntes que estão abaixo do mercado.
b. Instalar equipamentos novos em todas as unidades e cobrar mais por isso.
c. Fazer uma reforma completa na propriedade, como jardins e pintura.

Tudo isso será feito com o dinheiro do banco, não com o meu. Quando entregamos ao banco nosso plano de negócios, estas melhorias já estavam incluídas e foram faturadas no total do empréstimo concedido. Multiplicando US$100 ao longo de três anos, o que aumenta a renda mensal do projeto em US$30 mil por mês ou um adicional de US$360 mil por ano. Esse tipo de renda é um exemplo de alavancagem e controle.

Se o plano funcionar, daqui a três anos meu QI #4 será infinito porque o aumento da renda será conseguido sem capital adicional de investidores, apenas com conhecimento de como se administra um ativo (controle) em busca da mais alta rentabilidade. O aumento do QI financeiro é *infinito* porque o aumento em renda será conseguido por meio do controle do investidor e do dinheiro do banco.

2. *A Coluna das Despesas.* O próximo objetivo de controle é reduzir as despesas. Isso é feito de diversas maneiras. Um exemplo específico é a redução dos custos de mão de obra com a redução dos custos administrativos. Dado que possuímos outras propriedades, muitos custos podem ser absorvidos pela empresa-mãe. Isso às vezes é chamado de "despesas de retaguarda". São os custos dos contadores, dos advogados e do pessoal administrativo. Outras despesas que podem ser reduzidas: seguros, impostos e taxas, consumo de água, manutenção dos prédios e jardins, por meio de melhor gerenciamento e economia de escala. Ademais, as despesas podem ser reduzidas e a renda ampliada ao se manter a rotatividade baixa, o tempo que se leva para *relocar* um apartamento. Por exemplo, no momento em que um inquilino avisa que vai sair, um anúncio é imediatamente colocado para divulgar a disponibilidade. Uma vez vazio, o pessoal da limpeza entra naquele dia e o apartamento rapidamente é colocado à disposição de inquilinos potenciais na mesma noite. Em muitos casos, o apartamento é alugado antes mesmo de o inquilino atual se mudar.

Obviamente, muitos investidores incompetentes não conseguem reduzir despesas e, na verdade, até as aumentam, fazendo da propriedade um péssimo investimento — para eles. Com frequência, falham em administrar a qualidade dos inquilinos e a atratividade da propriedade porque tentam economizar dinheiro. Na maioria dos casos, a propriedade se desvaloriza. Gostamos de comprar essas propriedades mal administradas porque podemos transformá-las em bons investimentos com uma boa gestão. Ou seja, fazemos muito dinheiro com os investidores ruins.

A Administração da Propriedade É a Chave do Controle

Como você sabe, a gestão do imóvel é o segredo da rentabilidade no mercado imobiliário — a chave do controle. Como a maioria dos investidores, odeio administração de propriedades. É por isso que tenho um sócio, Ken McElroy. Sua empresa é definitivamente a melhor no ramo, no sudoeste dos Estados Unidos.

Controle = Alto Risco

Costumo me manter longe de investimentos em ações e renda fixa porque não tenho controle sobre as despesas — especialmente sobre salário dos administradores, bônus e taxas de administração. Fico doente quando leio a respeito dos salários dos presidentes de empresas gananciosos, mesmo quando o valor das ações está em queda. Um exemplo foi o caso do presidente da Home Depot, Robert Nardelli, que ganhava um salário de US$38 milhões anuais mais um bônus garantido de US$3 milhões a cada ano. Infelizmente, as coisas não foram bem, e Nardelli acabou se demitindo, mas apenas depois que o Conselho de Diretores concordou em lhe pagar US$210 milhões para que fosse embora.

Para mim, isso é excessivamente caro, além de abusivo. É por isso que não gosto de ativos financeiros. A maioria é administrada por pós-graduados, empregados que pensam mais nas finanças pessoais do que na segurança financeira de seus investidores. A propósito, os altos salários pagos ao executivo da Home Depot não são exceção; são a regra.

3. A Coluna dos Passivos. Meu complexo de trezentos apartamentos já tinha um financiamento a uma taxa de juros de apenas 4,95% ao ano, o que mesmo para a atual conjuntura norte-americana é pouco. Baixas taxas de juros aumentaram o valor da propriedade inteira. Ao adicionar um segundo financiamento de 6,5%, criei uma taxa mista de 5,5% (levando em conta as diferenças entre os dois empréstimos). Esta taxa representa um controle importante e uma boa alavancagem. Um ponto percentual em milhões de dólares tem um impacto grande na renda líquida.

Por exemplo, uma economia de 1% em um financiamento de US$10 milhões são US$100 mil extras — reduzir as dívidas e também suas despesas de taxas de juros são um bom exemplo de alavancagem.

4. A Coluna dos Ativos. Ao aumentar os aluguéis, reduzir as despesas e as dívidas, ou os juros delas, o valor da propriedade aumenta.

Como você pode ver pelas demonstrações financeiras no diagrama a seguir, ter controle e conseguir que os números desejados se movam na direção pretendida são uma forma de alavancagem e uma das funções da inteligência financeira.

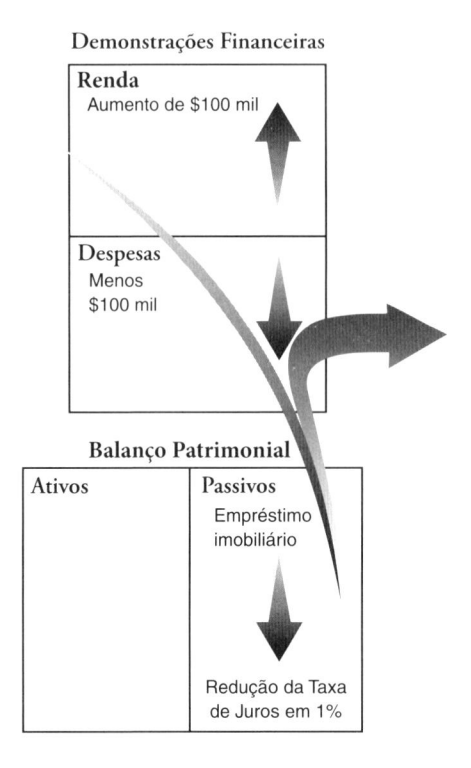

Demonstrações Financeiras

Renda
Aumento de $100 mil ↑

Despesas
Menos $100 mil ↓

Balanço Patrimonial

Ativos	Passivos
	Empréstimo imobiliário ↓ Redução da Taxa de Juros em 1%

Demonstrações Financeiras

Renda
Incremento da Receita devido a:
1. Aumento dos aluguéis
2. Redução das Despesas
3. Redução da taxa de juros

Despesas

Balanço Patrimonial

Ativos	Passivos
Aumento do Valor do Ativo devido a:	
1. Aumento dos aluguéis	
2. Redução das despesas	
3. Redução dos custos do empréstimo imobiliário	

Fisgando Maçãs

Hoje, com as oscilações do mercado, muitos investidores se parecem com aquelas pessoas, antigamente, em parques de diversão que tentavam fisgar com a boca maçãs inteiras que flutuavam em uma tina cheia de água. Parece divertido, mas não é algo que quero fazer todos os dias para ganhar alguns trocados.

Em vez de ficar olhando o preço de minhas ações ou fundos subindo e descendo, como as maçãs na água, prefiro o controle de minhas demonstrações financeiras. Por ter inteligência financeira para controlar renda, despesas, dívidas e, ultimamente, o valor de meus investimentos, tenho o domínio de meu destino financeiro.

Os investidores não têm controle nem poder de alavancagem em qualquer uma das quatro colunas das demonstrações financeiras com poupança, ações, títulos, fundos de investimentos ou fundos de índices.

Uma Pausa Antes de Continuar

Antes de tratar de outras formas de alavancagem e controle, creio que seja importante recapitular e rever os pontos abordados até agora, antes de ficarem mais complexos.

São estes os sete pontos:

Ponto #1: Existem Muitos Tipos de Alavancagem. A alavancagem financeira com a qual a maioria das pessoas está familiarizada é o endividamento, também conhecido por dinheiro de outras pessoas (DOP). Existem outros tipos de alavancagem, como a da inteligência financeira aplicada aos controles financeiros. Na verdade, todos os cinco QIs financeiros — que são aumento de renda, proteção contra os predadores, orçamentos, alavancagem e informação — são formas de alavancagem. Alavancagem é qualquer coisa que facilite seu trabalho. É mais fácil mover um objeto pesado com uma empilhadeira e é mais fácil tomar a decisão de um investimento sofisticado com um QI financeiro maior.

Ponto #2: A Maioria dos Investidores Investe em Ativos Financeiros, sobre os quais Têm Pouco Controle. Exemplos desses ativos são poupança, ações, títulos e fundos de investimentos. Como esses ativos permitem de pouco a nenhum controle, esses investidores têm pouca chance de alavancar e baixos retornos em seus investimentos, refletindo um QI financeiro baixo. Um exemplo de baixo QI financeiro é o retorno da poupança. Ou o retorno de outros instrumentos financeiros sobre os quais ainda se faz necessário o pagamento de impostos. Isso sem falar que, ainda por cima, há sempre alguma inflação corroendo o valor do investimento.

Ponto #3: Aumento nos Retornos Não Implica Maiores Riscos. Quando um consultor financeiro diz que maiores retornos implicam em aumento dos riscos, é válido para ativos financeiros, mas errado de modo genérico.

Ativos como empreendimentos ou imóveis requerem maior inteligência financeira, o que, por sua vez, permite maior controle financeiro e maior grau de alavancagem, com muito pouco risco. *A chave para o baixo risco é uma inteligência financeira maior.* É por isso que recomendo que a pessoa comece aos poucos, pelo menos enquanto desenvolve sua inteligência financeira. Com esse aumento, os retornos dos investimentos também crescem. Se a inteligência financeira for baixa, então a alavancagem será um desastre para o QI financeiro: a medida dos retornos dos investimentos.

Ponto #4: A Maioria dos Consultores Financeiros Não É Investidor. Consultores são simplesmente vendedores. A maioria deles, inclusive muitos do mercado imobiliário, investe apenas em ativos financeiros, se é que o faz. Muitos têm pouca alavancagem profissional e financeira. Em muitos casos, suas taxas de alavancagem são 1:1. Uma alavancagem profissional 1:1 significa que eles são pagos por seus serviços e apenas por isso — o pagamento de um dia de trabalho por dia trabalhado.

Como um homem de negócios, tenho milhares de pessoas trabalhando para me dar assistência. Como investidor, no caso de Tulsa, por exemplo, tenho trezentos inquilinos me ajudando a pagar por meus investimentos, o banco me emprestando US$4 para cada um de meus dólares investidos e a Receita Federal me ajudando com alíquotas especiais sobre minha renda. Esses são exemplos de tipos diferentes de alavancagem.

Ponto#5: A Educação Financeira Aumenta a Inteligência Financeira. A maioria das pessoas investe em ativos financeiros porque não necessita ou não quer controle. Tudo que querem é entregar seu dinheiro a um especialista em finanças que, espera-se, faça um bom trabalho. Longe dos olhos, longe do coração. Se as pessoas quiserem controle, a primeira coisa que precisam dominar é sua educação financeira, que, por sua vez, desenvolve sua inteligência financeira e, possivelmente, aumenta o controle financeiro e as taxas de alavancagem.

Ponto #6: A Alavancagem Pode Trabalhar de Duas Maneiras. Ela pode enriquecê-lo ou empobrecê-lo. É por isso que a alavancagem requer inteligência e controle financeiro.

No mercado de capitais, o investidor pode usar a alavancagem em opções. Se um investidor acredita que o mercado vai subir, pode usar um *call*, o direito de comprar uma ação a determinado preço dentro de certo prazo. Por exemplo, se a ação está a $10 hoje e o investidor sente que o preço subirá, pode comprar um *call option* por $1. Se estiver correto, e a ação for a $20, então ele ganha $10 investindo apenas $1. Se o investidor acha que o mercado vai cair, então coloca um *put*, que é uma opção de venda.

Em outras palavras, o investidor tem potencial para ganhar dinheiro se o preço da ação subir ou descer. O problema, no entanto, é que o investidor não tem controle sobre o ativo, apenas sobre os termos de sua negociação. Como é esperado, a maioria dos profissionais que vendem fundos de investimentos e recomendam diversificação diz que esse tipo de investimento é arriscado — e é, para aqueles que não têm treinamento e experiência.

Aprender a fazer esse tipo de operação no mercado de opções é uma parte importante da educação financeira do investidor. Os investidores do mercado imobiliário também usam *opções*. Neste mercado, um *call* é chamado de *entrada*, ou seja, o pagamento da primeira parcela. Se você é um investidor que quer lucros rápidos em pouco tempo, um mercado imobiliário em baixa pode ser desastroso.

Dado que a maioria dos meus investimentos em imóveis se baseia em valores de aluguéis e custos operacionais de propriedades, a variação do mercado imobiliário não me afeta tanto. Ainda que eu ocasionalmente compre e venda rápido uma propriedade, especialmente se alguém quiser me pagar um preço ótimo por ela, como prática prefiro comprar uma propriedade e coletar o aluguel e outras rendas ao longo do tempo. Então, depois, procurar outra propriedade para comprar e manter.

Ponto #7: Quando a Maioria dos Especialistas Financeiros Recomenda Diversificação, Eles, na Verdade, Não Estão Diversificando. Há duas razões para que a diversificação que recomendam não seja diversificação. A primeira é que esses profissionais investem somente em uma categoria de ativos: os financeiros. Quando uma crise surge no mercado, como aconteceu em agosto de 2007, a diversificação não protege os valores dos ativos financeiros. A segunda razão é que alguns fundos já são diversificados, sendo multimercados ou alguns tipos de fundos de ações. Quando alguém compra muitos fundos deste tipo, é como se ingerisse diversas multivitaminas — a única coisa que aumenta em valor é a qualidade da urina dessa pessoa.

Investidores profissionais não diversificam. Como diz Warren Buffett: "A diversificação é uma proteção contra a ignorância. Ela não é necessária quando a pessoa sabe o que está fazendo."

Meu pai rico costumava dizer: "De qual ignorância você se protege? Da sua, da do profissional de investimentos ou de ambas?"

Em vez de diversificar, os investidores profissionais fazem duas coisas. Uma é focar apenas grandes investimentos. Isso poupa dinheiro e aumenta os retornos. A segunda é se proteger, ou fazer *hedge*. *Hedging* é outra palavra para seguros. Meu condomínio de trezentos apartamentos, por exemplo, necessitou de toda sorte de seguros exigidos pelo banco parceiro. Se a propriedade for arruinada por um incêndio, o seguro paga o empréstimo e reconstrói os prédios. E o melhor de tudo é que o custo do seguro é pago pelas próprias rendas de aluguéis.

Duas das razões pelas quais não gosto de fundos de investimentos é que o banco não me empresta dinheiro baseado neles e as companhias de seguro não vendem apólices contra perdas catastróficas de mercados em crise — e todos os mercados passam por crises.

Mais Alavancagem, Mais Retorno e Menos Risco

Foco — não diversificação — é o segredo dos ricos para ter mais sofisticação na alavancagem. Foco requer maior inteligência financeira, e esta, por sua vez, começa no conhecimento do que é aquilo em que você investe. No mundo do dinheiro, há duas coisas pelas quais as pessoas investem: ganhos de capital e fluxo de caixa.

> *1. Ganhos de Capital.* Muitas pessoas pensam que investir é arriscado porque investem por ganhos de capital. Na maioria dos casos, isso é pura aposta ou especulação. Quando alguém diz: "Comprei uma ação, fundo de investimento ou imóvel", investiu por ganhos de capital; ou seja, uma valorização no preço do ativo. Por exemplo, se eu tivesse comprado o condomínio de US$17 milhões esperando vendê-lo por US$25 milhões, teria investido por ganhos de capital. Como muitos sabem, isso acarreta em um pagamento de mais impostos em alguns países.
>
> *2. Fluxo de Caixa.* Isso é muito menos arriscado. É investir por renda. Se coloco dinheiro na poupança ou em um fundo de renda fixa e recebo 6% de juros, invisto por fluxo de caixa. Mas, embora o pagamento de juros represente um risco baixo, o problema deste tipo de investimento é que o retorno é baixo, em alguns casos existem taxas de administração e impostos, e a inflação costuma estar presente. Quando comprei meu condomínio, investi em fluxo de caixa. A diferença foi que investi por este fluxo usando dinheiro do meu banco, buscando retornos maiores e impostos menores.

Em que Você Investe?

A maioria dos consultores financeiros recomenda que a pessoa invista em fundos agressivos quando é jovem. Investir em busca de crescimento implica investir por ganhos de capital. Aos investidores mais velhos, recomenda-se mudar para investimentos conservadores. Em outras palavras, invista por fluxo de caixa quando envelhecer. Eles acreditam que fluxo de caixa é menos arriscado e mais garantido.

Três Tipos de Investidores

Quando se trata de ganhos de capital ou fluxo de caixa, existem três tipos genéricos de investidores.

1. Investem unicamente por ganhos de capital. Seus objetivos são, em geral, comprar na baixa e vender na alta. Quando você olha no quadrante CASHFLOW, esses indivíduos estão, na verdade, no quadrante A, e não no I. Devem ser considerados investidores profissionais, os chamados negociadores, e não investidores simplesmente. Aqueles que fazem operações diárias de compra e venda, chamadas de *daytrade*, pagam as taxas e os impostos mais altos do mercado, e, portanto, não se beneficiam das alíquotas melhores de longo prazo que muitos recebem no quadrante I.

2. Investem unicamente por fluxo de caixa. Muitos gostam dos investimentos em renda fixa por causa da rentabilidade estável e constante. Alguns investidores adoram poupança porque paga retornos livres de impostos. Por exemplo, se a poupança paga 7% de juros, o retorno sobre investimento (ROI) é praticamente o mesmo de quem recebe 9% ou 10% em alguns fundos que pagam impostos.

3. Investem por ganhos de capital e fluxo de caixa. Anos atrás, os antigos investidores de ações investiam por ganhos de capital e fluxo de caixa. Eles ainda falam sobre o preço das ações subindo e, além de tudo, pagando dividendos a seus investidores. Mas isso foi na antiga economia, no velho capitalismo.

No novo capitalismo, a maioria dos investidores está em busca de dinheiro rápido, ganho fácil. Hoje, as grandes corretoras contratam os jovens gênios das finanças e utilizam o poder de supercomputadores em modelos matemáticos para apontar qualquer pequeno padrão de comportamento do mercado que seja possível explorar. Por exemplo, se o computador identifica um aumento percentual que represente um diferencial de 1% em uma ação, a corretora coloca milhões nesta ação, esperando ganhar 1% em apenas um dia de compra e venda. Isso é alta alavancagem, e muito arriscado.

Nos Estados Unidos, esses modelos matemáticos têm causado alta volatilidade e, com frequência, crise. O mercado quebra se o computador diz *venda*, e vive uma euforia se diz *compre*, e depois quebra de novo. Em outras palavras, os preços sobem ou caem por nenhuma razão ligada a fundamentos ou negócios. A variação do preço pode não ter qualquer relação com o valor da companhia porque os computadores criam uma oferta ou demanda artificial.

Como um investidor antigo nesta nova era do capitalismo, tenho que ser competente o suficiente para investir por ganhos de capital, fluxo de caixa, alavancagem de dívidas e vantagens tributárias, e ao mesmo tempo manter-me acima do tumulto que os jovens gênios das finanças e os supercomputadores causam no sistema financeiro.

Por exemplo, recentemente comprei uma ação, ainda que não tenha controle, porque a companhia, uma daquelas enfadonhas empresas da Era Industrial, historicamente paga dividendos constantes de 11%. Quando a ação caiu em uma crise, comprei, porque o preço do fluxo de caixa barateou. Assim, ocasionalmente compro ativos financeiros, mas tenho a tendência de comprar por fluxo de caixa. Sendo uma sardinha no meio dos tubarões e não tendo controle sobre a empresa, não uso alavancagem. Invisto apenas dinheiro que eu possa perder caso esteja errado. Se o preço dessa ação em particular subir, eu talvez a venda, porque gosto de investir tanto por fluxo de caixa quanto por ganhos de capital. Meu ROI sobe se e quando consigo receber as duas coisas.

Existem três componentes para ser um bom investidor do mercado imobiliário. São eles:

1. Bons Sócios. Como diz Donald Trump: "Você não consegue um bom acordo com sócios ruins." Isso não significa que sócios ruins sejam más pessoas. Eles podem, simplesmente, ser incompatíveis com você. Para meu projeto dos trezentos apartamentos funcionar, precisava de bons parceiros. Eles eram Kim, minha esposa, Ken e Ross. Já havíamos feito muitos bons acordos juntos antes e ganhado muito dinheiro. Também tivemos problemas e, ao resolvê-los, nos tornamos mais competentes e melhores na parceria.

2. Bom Financiamento. O mercado imobiliário opera, sobretudo, com financiamento. Muitas pessoas dizem "localização, localização, localização". Digo "financiamento, financiamento, financiamento". Se conseguir bons financiamentos, seu negócio dará certo. Se eles não forem bons, então não funcionará. Para ilustrar meu ponto de vista, vamos imaginar que o vendedor tivesse me dito: "Quero US$35 milhões por meu complexo de US$17 milhões." Se o vendedor me permitisse financiar o preço de compra de US$35 milhões a US$1 por mês durante trinta anos com o pagamento da maior parte dos US$35 milhões no final do termo, eu toparia o acordo e daria ao vendedor o preço pedido. Por US$1 por mês, durante trinta anos, posso pagar US$35 milhões por uma propriedade de US$17 milhões. Como se diz no mundo das finanças: "Pago *seu* preço se você concordar com *meus* termos."

Sei que alguns de vocês devem achar que US$35 milhões é um exemplo extremamente ridículo. Na verdade, não é. No mundo financeiro, pagar preços absurdos é bastante comum. Com frequência, trata-se apenas de saber quem são o comprador e o vendedor, e quais suas habilidades de usar o poder das finanças para alcançar seus objetivos.

Há alguns anos, por exemplo, uma propriedade foi colocada à venda perto do meu escritório. Quando perguntei ao corretor qual era o preço, ele me disse US$2 milhões. Eu ri, disse que ele estava de brincadeira e fui embora. Achei que, no máximo, a propriedade valia US$750 mil. Hoje, uma cadeia importante de hotéis colocou uma flâmula de propriedade no terreno. Não sei quanto o terreno vale, mas certamente é muito mais do que US$2 milhões. Como diria meu amigo Ken McElroy: "Ganha quem tiver o melhor plano." E Donald Trump diria: "Pense grande." Toda vez que passo por aquela propriedade, digo a mim mesmo: "Pense ainda maior."

3. Bom Gerenciamento. Uma das razões para minha confiança na propriedade de trezentos apartamentos é que tenho bons sócios. Ken é dono de uma empresa de gerenciamento de imóveis e seu sócio possui uma construtora.

Se eu tivesse parceiros, financiamentos ou uma administração ruim, meu investimento seria um desastre. Se eu fosse o único a investir, não o faria. É um projeto grande e complexo demais.

Tendo *controle* sobre estes três componentes — bons sócios, bom financiamento e bom gerenciamento —, fico mais disposto a usar dívida como *alavancagem*. Sem controle, eu provavelmente não usaria dívida para me financiar. Se há riscos elevados, como especular com ações ou commodities, gosto de usar dinheiro que eu possa perder.

Mais Alavancagem, Retorno Maior

A alavancagem é tão importante porque quanto mais alta for, maior será o retorno. Por exemplo, se eu comprar uma propriedade de US$100 mil com meu dinheiro e receber US$10 mil por ano de renda líquida em aluguéis, o retorno sobre meu dinheiro será de 10%. Se eu tomar emprestado US$50 mil e ainda for capaz de receber US$10 mil, meu retorno será de 20%. Se eu financiar todo o valor, US$100 mil, e ainda receber US$10 mil, meu retorno será infinito. Retorno infinito significa dinheiro a partir do nada: entram US$10 mil no meu bolso e nada sai. Os inquilinos cobrem minhas despesas e eu recebo renda.

Dinheiro a partir do Nada

Em meu próximo exemplo, usando novamente meu complexo de trezentos apartamentos, explicarei como recebi retornos infinitos usando alavancagem. A forma como isso será feito é aumentando os aluguéis e instalando equipamentos nas trezentas unidades. De maneira supersimplificada, é assim que os números funcionam:

Demonstrações Financeiras

Renda
$50 aumento dos aluguéis
$50 aumento dos aluguéis devido à instalação de novos equipamentos

Despesas
$10 ao mês em pagamento pelos novos equipamentos

Balanço Patrimonial

Ativos	Passivos
	$1.000 dívida a pagar dos novos equipamentos e renovação dos apartamentos

Os US$100 de aumento são necessários para se igualar aos competidores e cobrir os custos de modernização externa e interna.

Esse aumento de US$100 por mês de renda é uma transação 100% financiada, já que pegamos dinheiro extra do banco para as renovações. Temos, portanto, o controle. O aumento da dívida está mais do que coberto por nosso aumento na renda. Estes US$100 extras são tecnicamente *retornos infinitos* porque todas as despesas correm por conta do banco e todos os retornos vêm para mim.

O aumento de US$100 por mês é multiplicado por trezentas unidades. Esse é um acréscimo bruto de US$30 mil por mês, ou US$360 mil a mais por ano, acima do fluxo de caixa que já estamos conseguindo. Esses US$360 mil são um *retorno infinito* medido pelo fluxo de caixa em mãos, e não por ganhos de capital fictícios em algum ativo financeiro.

Em suma, o banco coloca 100% do dinheiro para essas melhorias e nós recebemos o aumento da renda. Os inquilinos pagam pelas despesas e pelos financiamentos imobiliários.

4. Taxa Interna de Retorno. Uma das mais complexas, sofisticadas e frequentemente confusas medidas de ROI é a taxa interna de retorno (TIR). Se o investidor realmente sabe o que está fazendo, pode aumentar seu ROI ao compreender sua TIR. O diagrama seguinte explica, tão simples quanto possível, esta maneira mais avançada de medir o verdadeiro retorno do investidor.

Demonstração de Resultado

Renda
Renda passiva

Despesas
Depreciação

Balanço Patrimonial

Ativos	Passivos
Apreciação	Amortização

Em termos simples, a taxa interna de retorno (TIR) mede os demais retornos e alavancagens que um investimento bem controlado pode proporcionar.

1. *Coluna da Renda: Renda Passiva.* A maioria das pessoas entende que a renda bruta de aluguéis faz parte da coluna da renda. Mas a TIR também mede outras formas de renda. A renda passiva está sujeita a alíquotas menores do que as do imposto sobre a renda auferida.
2. *Coluna das Despesas: Depreciação.* Vale para coisas como refrigeradores, ventiladores, carpetes, mobília, objetos que declinam em valor à medida que envelhecem. Um contador pode lhe explicar isso se você possui

um negócio ou investimentos em imóveis. Não existe depreciação para ativos financeiros.

3. *Coluna dos Passivos: Amortização.* Outra forma de renda para o investidor é conhecida por amortização, uma palavra criativa que significa *pagar suas dívidas em períodos estabelecidos.* Quando você tem uma dívida boa, dívida que um inquilino paga para você, a amortização se torna uma renda. Em outras palavras, quando um inquilino paga minha dívida, esse pagamento é tecnicamente renda para mim, dinheiro que fica no meu bolso esperando pela próxima oportunidade de negócio.

4. *Coluna dos Ativos: Apreciação.* Aumento do valor do ativo. Isso também é renda para você. Isso não é apreciação baseada em alguma avaliação de corretor de imóveis ou um aumento fundamentado em comparações de vendas na região. A maneira que meço a apreciação é pelo aumento da renda em minha coluna da renda. Por exemplo, o aumento de US$360 mil de renda dos meus trezentos apartamentos é mensurável.

Esse não é um método exato de definir a TIR, mas lhe dá uma ideia de como um investidor aumenta o retorno sobre seus investimentos muito além do que pode receber de títulos do mercado financeiro. Ao menos você tem uma ideia do que são as TIRs. Eu diria que 95% dos investidores nunca sequer ouviram falar de taxa interna de retorno. Então, agora você está mais preparado e afiado do que 95% deles.

Começando com Nada

Para alguns de vocês, US$17 milhões soam como um investimento enorme. Para outros, é pequeno. Dez anos atrás, comprar um complexo com trezentos apartamentos pareceria muito grandioso para mim e Kim. Daqui a dez anos, estou certo de que parecerá pouco. Kim, Ken e eu já estamos planejando projetos muito maiores. Donald Trump e eu estamos olhando um projeto imenso não muito longe da minha casa, algo para daqui a dez anos.

Mencionei tamanho e valores de projetos para salientar três aspectos:

1. Nascer pobre e sem educação financeira não significa que não é possível ficar rico. Poucas pessoas nascem suficientemente ricas para adquirir um condomínio de US$17 milhões. E ninguém nasce competente o suficiente para adquirir, financiar e administrar um complexo com trezentos apartamentos. Em outras palavras, não ter qualquer dinheiro ou educação financeira não é desculpa para não começar. Mesmo assim, milhões de pessoas deixam que o problema de não ter dinheiro ou educação suficientes as impeça de se tornar ricas. Simplesmente não dão o primeiro passo. Ou então iniciam algo e depois falham. Ao cometerem um erro, perderem dinheiro ou enfrentarem problemas, muitos desistem. É por isso que, para bilhões de pessoas, um projeto desta magnitude sempre parecerá maior do que seus sonhos.

2. Comece aos poucos e engatinhe. Em 1989, o primeiro investimento de Kim foi um apartamento de dois quartos de US$45 mil, no Oregon. Ela deu US$5 mil de entrada e ganhava US$25 por mês. Estava extremamente nervosa quando deu o primeiro passo. Hoje, um complexo de US$17 milhões é entediante, porque ela está pronta para projetos maiores.

Em 1997, Ken McElroy começou com um apartamento de dois quartos com suíte no Arizona. Custou US$115 mil e ele deu US$23 mil de entrada. Ele rendia US$50 de fluxo de caixa positivo por mês. Hoje, ele controla uma carteira de imóveis de centenas de milhões de dólares.

Comprei minha primeira propriedade de investimento em 1973. Não tinha nenhum dinheiro extra para investir. Ainda estava na Marinha e havia acabado de comprar minha primeira casa. Em vez de permitir que um salário baixo e nenhum dinheiro acumulado me impedissem, me inscrevi em um curso sobre investimentos imobiliários e paguei US$385. Em poucos meses, comprei minha primeira propriedade de investimento, um apartamento de um quarto na ilha de Maui, por US$18 mil. A propriedade estava penhorada e o banco, doido para se livrar dela. O banco me permitiu dar a entrada de US$2 mil em meu cartão de crédito. A propriedade me rendia US$35 por mês após pagar minha prestação com o banco e o cartão de crédito, o que é *retorno infinito*, dado que emprestei 100% do dinheiro. Quando provei ao banco que podia administrar a propriedade, eles me venderam mais duas unidades. Estava iniciada minha carreira de investidor.

Cerca de um ano mais tarde, vendi as três propriedades por aproximadamente US$48 mil cada e coloquei US$90 mil em meu bolso. Nada mau por um curso de investimentos imobiliários de US$385 e uma entrada dada com cartão de crédito.

Mesmo tendo feito isso, não recomendo que as pessoas usem seus cartões de crédito para dar entradas. Aconselho, no entanto, que leiam livros e participem de seminários sobre investimentos. Minha empresa *Rich Dad* oferece seminários intensivos de investimentos porque acredito firmemente no poder da educação. Esta é a forma mais importante de alavancagem.

3. Sonhe grande. A maioria de nós sabe que deve permitir a uma criança que sonhe. O mesmo é verdade para os adultos. Como casal, Kim e eu temos grandes sonhos. Nossos sonhos ajudam a manter nosso casamento rico, jovial e divertido. Projetos maiores de investimento nos mantêm juntos, aprendendo e agindo como um time, em vez de nos separar. Sonhamos grande, aprendemos e investimos cuidadosamente para poder ir muito além de nossas possibilidades. E não se trata de dinheiro — mas de viver. Pessoalmente, Kim e eu achamos que é uma tragédia alguém viver aquém de seus sonhos.

Resumo

Em agosto de 2007, quando os mercados do mundo desabaram, muitas pessoas não tinham a menor ideia do significado de tal crise. Muito menos sabiam como afetaria suas vidas.

Hoje, mesmo no país mais rico do mundo, os Estados Unidos, milhões de pessoas que trabalham com afinco ganham menos, ainda que recebam salários maiores. Essas pessoas poupam dinheiro que perde valor e usam cartões de crédito para pagar suas contas.

Para piorar a situação, por causa do desmoronamento do mercado, milhões de pessoas acham que investir é arriscado e, para obter retornos maiores, é preciso assumir grandes riscos. Poucas pessoas sabem que a chave para *alavancar* é o *controle*, e o segredo para ter o controle é a inteligência financeira.

A boa notícia é que, quanto mais alta for sua inteligência financeira, mais dinheiro você ganha sem precisar de dinheiro. Neste novo capitalismo, é verdadeiramente possível fazer dinheiro a partir do nada. Na Era da Informação, o conhecimento é uma alavancagem insuperável. Quanto mais dinheiro você faz sem dinheiro, maiores serão seus ROI e IRR, e maior será seu QI financeiro.

Considerando que o QI financeiro é uma medida numérica de inteligência financeira, um *retorno infinito* exprime um QI financeiro infinito. Diga isso a seu banqueiro e consultor financeiro da próxima vez que lhe disserem que um retorno de 5% na poupança ou 10% em um fundo de investimento é um excelente retorno.

Capítulo 7

QI Financeiro #5: Obter Informações Melhores

Em janeiro de 1972, fui transferido de *Camp Pedleton*, na Califórnia, em um avião de carreira para a costa do Vietnã. Esta seria minha segunda viagem para o Vietnã. Minha primeira visita foi em 1966. A Academia da Marinha envia estudantes para o mar para um ano de estudo. Meu projeto era estudar operações de carga militar em zona de guerra — mais especificamente, como transportar com segurança artefatos de guerra, como bombas — sem nos matar. Minha segunda viagem como piloto de guerra foi uma experiência muito diferente da anterior, quando apenas pesquisava a guerra como estudante.

Meu primeiro trabalho a bordo do cargueiro foi como piloto de helicóptero de ataque. Minha primeira missão foi voar acompanhando e protegendo os helicópteros maiores que transportavam as tropas. Nosso esquadrão era composto principalmente por helicópteros de tropas, um CH-46, de rotor duplo, e por CH-53s, também conhecidos como Gigantes Verdes. Se a zona de combate estivesse ardendo com o fogo inimigo, o trabalho dos helicópteros armados seria proteger os helicópteros que continham as tropas. Pessoalmente, eu gostava de ser um piloto de helicóptero armado. Era muito melhor do que transportar tropas. Pilotos desses helicópteros precisavam ser muito corajosos. Eles voavam em aeronaves imensas, em zonas de intensos combates, aguardando, sentados, enquanto as tropas entravam e saíam de bordo.

Trabalho Ultrassecreto

Meu trabalho secundário era como assistente no esquadrão de informações altamente secretas. Foi extremamente interessante: sentar, ouvir, observar, coletar e processar informações *ultrassecretas*. Em intervalos regulares durante o dia e a noite, entregávamos relatórios aos oficiais em comando e às equipes. Nosso trabalho era coletar dados brutos sobre a guerra e transformá-los em informação relevante.

Vida ou Morte

Adquiri um tremendo respeito pela informação ao trabalhar com isso. Antes do Vietnã, eu nunca havia pensado muito nesta questão. Na escola, achava que o estudo da informação era uma bobagem. Para mim, informação era simplesmente uma coleção inútil de fatos e números, datas e épocas que tinham que ser memorizados para passar nos exames. No Vietnã, informação era muito mais importante. Poderia significar vida ou morte para meus companheiros pilotos.

Hoje, acredito que minha posição de oficial da informação ajudou-me como empresário e investidor, tornando-me muito melhor. Hoje, sei que a informação significa vida ou morte na guerra, e a diferença entre ser rico ou pobre nos negócios.

A Informação É Mais Importante do que a Vida

Na preparação para ir para o Vietnã, fomos treinados no sentido de processar informações nos mínimos detalhes e tomar decisões em milésimos de segundos sob intensa pressão. Se fizéssemos um bom trabalho processando a informação, viveríamos. Caso contrário, isso representaria a morte. Quando percebi que minha vida e a vida dos outros dependiam da qualidade da informação que recebia, isso se transformou em algo mais importante até do que a minha vida.

Em livros anteriores, escrevi sobre o primeiro dia em que me vi sob fogo cruzado no Vietnã. Descrevi o medo, assim como a percepção, de que o cara atirando em mim queria ir para casa tanto quanto eu. Nos livros, relatei as palavras de sabedoria de meu comandante de batalhão ao me lembrar de que na guerra não há segundo lugar, não há medalha de prata. É ouro ou nada. Ao ver balas de verdade zunindo ao nosso redor, percebi que os dias na escola estavam oficialmente encerrados. Enquanto voávamos em direção à própria morte, anos de treinamento e informação eram processados em uma decisão, em uma ação. A parte boa foi que minha tropa e eu retornamos para casa naquela noite. Lamentavelmente, no entanto, os vietnamitas que estavam em solo não conseguiram. Não havia segundo lugar.

O Principal Ativo

Um amigo meu, que é estudioso da Bíblia, costuma dizer: "Sem conhecimento, meu povo perecerá." Hoje, muitas pessoas sucumbem porque não têm conhecimento sobre dinheiro. Vivemos na Era da Informação. Mesmo nas regiões mais remotas do mundo, tenho visto jovens enviando mensagens de texto enquanto manobram uma carroça. Nunca antes o mundo inteiro fora visto tão conectado e tão rapidamente.

Informação é o ativo mais importante desta era. Em épocas anteriores, para ser rico, você deveria possuir fábricas, fazendas de gado, minas de ouro, poços de petróleo ou edifícios. Na Era da Informação, só a informação já basta para enriquecê-lo. Você não precisa de recursos tangíveis como terra, ouro ou petróleo. Os jovens empreendedores que criaram o *MySpace* e o *YouTube* provaram isso. Com apenas alguns poucos dólares, alguma informação e a alavancagem da tecnologia, aqueles jovens de 20 e poucos anos tornaram-se bilionários.

Da mesma maneira, informação errada ou sem qualidade é um passivo. Informação ruim cria pessoas pobres. Muitas pessoas estão em constante batalha com suas finanças simplesmente porque têm informações obsoletas, enviesadas, corrompidas ou erradas controlando seu ativo mais poderoso: o cérebro. Muitas pessoas se debatem por usar informações da Era Industrial ou Agrícola na Era da Informação. Um exemplo da Era Industrial é: "Preciso de diplomas para conseguir um emprego de alto salário." Um exemplo da Era Agrícola: "Terra é a base de qualquer riqueza."

As Quatro Épocas da Humanidade

Foram quatro as épocas econômicas pelas quais a humanidade passou:

1. Era Pré-histórica. Durante este período, a fonte de riqueza era a própria natureza. As tribos perseguiam as manadas ou procuravam por comida. Se soubesse como caçar e coletar, você sobreviveria; se não, morreria. A tribo *representava* segurança social. Em termos socioeconômicos, todos eram iguais. O chefe não tinha um padrão de vida superior ao resto da tribo. Ele até poderia comer antes de todos e ter mais esposas, mas basicamente fogo era fogo e caverna era caverna. Em termos financeiros, havia apenas uma *única* classe social. Todos eram pobres.

2. Era Agrícola. Quando os seres humanos aprenderam a plantar sementes e domesticar animais, a terra se tornou a fonte de riqueza. Reis e rainhas possuíam terras, e todos os outros trabalhavam nelas e pagavam impostos à realeza. Os camponeses nada possuíam. Em termos socioeconômicos, havia apenas *dois* grupos, os ricos e os camponeses.

3. Era Industrial. Em 1492, Cristóvão Colombo e outros exploradores saíram em busca de rotas de comércio, terra e recursos. Para mim, foi quando a Era Industrial começou de fato. Nesta era, recursos como petróleo, cobre, estanho e borracha significavam riqueza. Durante este período, o valor dos imóveis mudou. Na Era Agrícola, as terras precisavam ser férteis e capazes de produzir boas colheitas e criações de animais. Na Era Industrial, terras não cultiváveis tornaram-se mais valiosas. Por exemplo, Henry Ford construiu sua famosa fábrica de automóveis em Detroit porque pôde comprar enormes lotes de terra rochosa, sem serventia para a agricultura, por preços excelentes. Hoje, o uso industrial da terra tem valor mais significativo do que a terra para a agricultura. Em termos socioeconômicos, uma nova classe emergiu, a classe média. Havia, então, três grupos de pessoas: os ricos, a classe média e os pobres.

4. Era da Informação. Esta era oficialmente começou com a invenção dos computadores digitais. Nela, a informação alavancada pela tecnologia é a fonte de riqueza, e recursos baratos e abundantes como silício a produzem. Em outras palavras, o preço para ficar rico caiu. Pela primeira vez na história, a riqueza está disponível, acessível e abundante para todos, independentemente de onde estejam ou de como vivam. Em termos socioeconômicos, agora existem quatro grupos de pessoas: os pobres, a classe média, os ricos e os *super*-ricos. Bill Gates é o exemplo mais óbvio de super-rico da Era da Informação.

Os Super-ricos

Hoje, os super-ricos podem extrair sua riqueza de qualquer era. É possível ser um super-rico caçador-coletor como são os Maori da Nova Zelândia, com seus direitos sobre a pesca. Você também pode ser um rancheiro ou fazendeiro super-rico da Era Agrícola ou um fabricante de automóveis super-rico da Era Industrial. E, como já mencionei, existem os super-ricos jovens bilionários de 20 anos da Era da Informação, que se tornaram super-ricos com o uso dos recursos baratos e abundantes, da informação e de suas ideias. O laço comum entre todos eles é que a informação tornou possível a coordenação entre os recursos em nível muito mais alto e rápido do que nunca. É esta coordenação que cria os super-ricos.

O Hiato

Ao mesmo tempo, há pessoas que estão definhando por causa de informação obsoleta ou inadequada. Há tribos indígenas desaparecendo à medida que suas florestas são dizimadas. Há fazendeiros quebrados e fabricantes de automóveis despedindo milhares de trabalhadores. Grandes produtores da indústria fonográfica, prósperos e ricos no passado, são esmagados pelos downloads de música feitos pela internet.

No mundo inteiro, milhões de pessoas estão profundamente endividadas, agarradas aos últimos fiapos de segurança de um emprego e tentando imaginar como conseguirão juntar dinheiro para a faculdade dos filhos e para a própria aposentadoria. Esta batalha ocorre porque a maioria das pessoas continua a operar com ideias das Eras Pré-histórica, Agrícola e Industrial.

A informação aprofunda o *hiato* entre os super-ricos e os demais. A boa notícia é que a informação é livre e abundante. Hoje, é relativamente fácil, mesmo para os mais pobres ou jovens, sair do nada e conquistar super-riqueza sem ter muito dinheiro. Para ser rico hoje, você não tem que ser um conquistador que navega por novos mundos e rouba os recursos de povos indígenas. Nem precisa buscar capital na bolsa de valores para construir uma fábrica de automóveis ou empregar milhões de trabalhadores. Hoje, informação e um computador de baixo custo podem fazê-lo ir de pobre a super-rico sem que precise sair de casa. Basta ter em mãos a informação certa.

Excesso de Informação

A boa notícia é que a informação é livre e abundante. A má é que... a informação é livre e abundante. A ironia da Era da Informação é que há muito dela por aí. Hoje, as pessoas reclamam de excesso de informação. A qualquer momento que queira, alguém pode assistir à televisão, navegar na internet e falar ao telefone. Em eras anteriores, ninguém reclamaria em ter terra ou petróleo demais. No entanto, na Era da Informação, as pessoas reclamam de ter informações demais e de estarem sobrecarregadas justamente do ativo que pode lhes tornar super-ricos.

Inteligência Militar

No Vietnã, aprendi a respeitar o poder da informação. Eu me tornei sensivelmente mais consciente desse poder para matar, assim como para salvar vidas. Usar inteligência militar para matar não faz mais sentido para mim. Hoje, prefiro usar a informação para criar vida, e não para tirá-la.

Como oficial da informação, também tive que enfrentar sobrecarga informacional. Na guerra, a quantidade de informação que precisávamos processar era assustadora. Tivemos que aprender muito rapidamente como separar, categorizar, descartar e processar imensas quantidades de informação de origens múltiplas e variadas. Se não o fizéssemos, nós ou outras pessoas poderiam morrer.

Classificando a Informação

Para lidar com o excesso de informação, os militares despendem grandes esforços em classificá-las. Sem classificação, toda informação é igual, tornando-se virtualmente inútil.

No Vietnã, aprendi a classificar as informações segundo um grupo de características.

1. Tempo. Na guerra e nos negócios, a informação pode ser útil em um minuto e obsoleta no outro. A guerra é fluida, está sempre em movimento. Assim também são os negócios e investimentos. As tropas inimigas podem estar em um lugar hoje e a centenas de quilômetros amanhã. Em um negócio, uma vantagem comparativa pode não ter valor hoje e ser inútil amanhã.

2. Credibilidade. Precisamos saber de onde veio a informação. Nossas fontes são confiáveis e críveis? Infelizmente, no mundo do dinheiro, a maioria das pessoas obtém as informações financeiras de pessoas com quem trabalham ou com vendedores — indivíduos que também estão batalhando pelo próprio dinheiro. Eles podem ser bons, honestos, mas não são críveis ou confiáveis como fonte de informação financeira.

3. Classificação. Nas forças armadas, aprendi a separar a informação em categorias. Por exemplo, informação *ultrassecreta* só estaria disponível criptografada.

No mundo dos negócios e dos investimentos, informações ultrassecretas são conhecidas como *privilegiadas*. Quando o investidor comum ouve isso, pensa imediatamente em ilegalidade — e, às vezes realmente é. Informação privilegiada é ilegal quando uma pessoa a recebe de alguém de dentro de uma empresa listada em bolsa de valores e a usa para comprar ou vender as ações desta empresa.

Na verdade, todas as informações são privilegiadas. Uma questão mais importante é o quão distante você está da informação. Quando alguém ouve uma dica quente sobre um novo produto ou sobre as dificuldades que uma empresa enfrenta, as pessoas de dentro — ou próximas — já as utilizaram para fazer operações financeiras. A batalha já foi vencida e o investidor mediano a perdeu.

Devo deixar claro que não encorajo nem concordo com informações ilegais. A distinção que quero fazer é sobre a importância de conseguir estar próximo da informação. Adoro ser empreendedor e investidor imobiliário porque tenho legalmente informações privilegiadas e posso operar com elas. Como a minha empresa não é listada na bolsa, também posso contar a meus amigos o que sei e como invisto.

No mercado de capitais, os profissionais sabem que os amadores operam com histórias passadas; é assim que os profissionais ganham dinheiro. Eles fazem dinheiro com os amadores. Um exemplo é o "Senhor Comum", um investidor que acorda, lê o jornal com uma xícara de café na mão e observa que há um fato relevante sobre sua empresa favorita. Ele então liga para seu corretor ou vai para a internet e faz uma operação de venda ou de compra. Ainda que a informação tenha apenas algumas horas de vida, o "Senhor Comum" já está em posição de perdedor. Chegou tarde à festa porque nunca foi convidado para ela. Ele *não* tem uma informação privilegiada. Ele está deslocado.

O pai rico me encorajou a desenvolver minha inteligência financeira para que eu pudesse ter acesso a informações privilegiadas. Quanto mais perto você estiver da informação, mais rico será.

> *4. Informação Relativa.* Observar as mudanças diárias da informação no campo de batalha nos tornava capazes de interpretar as informações do *passado* e do *presente* para depois fazer *previsões*. Por exemplo, quando sabíamos que as tropas inimigas estavam em certa posição na terça, em outra na quarta e em uma diferente na quinta, poderíamos começar a prever para onde iriam e quais seriam seus objetivos. Em outras palavras, tínhamos que saber como as informações se relacionavam.

No mundo dos negócios e dos investimentos, essas informações sobre passado, presente e futuro são conhecidas como *observação das tendências*.

> *5. Informação Enganosa.* Na guerra, o inimigo tentava com frequência nos ludibriar enviando informações deturpadas. Eventualmente, faziam isso usando táticas de distração. Por exemplo, podiam mover um número enorme de tropas e equipamentos, fazendo muito barulho e poeira, apenas para nos desviar de seus motivos e objetivos reais. Ou então nos permitiam capturar uma tropa que nos forneceria informações erradas. Ou, ainda, usavam um espião, alguém que acreditávamos estar do nosso lado, para nos confundir com informações incorretas.

Esquema de Pump e Dump

O que vemos, tanto nos negócios quanto nos investimentos, é uma enxurrada de informações enganosas. Um empresário ou investidor deve permanecer em vigilância constante e resguardar-se delas. Por exemplo, muitas vezes, um especialista em finanças lhe dirá algo e então fará o oposto. Esta pessoa pode ir à televisão e dizer que está comprando certa ação, e esta informação levará outras pessoas a comprar tal ativo, provocando aumento dos preços. Uma vez que o preço da ação suba, a pessoa que a recomendou a vende e obtém um bom lucro. É um movimento de valorizar para depois se livrar das ações que o mercado chama de esquema *pump e dump*.

O Truque da Mão

Outra forma de desviar a atenção é conhecida como o *truque da mão*, uma técnica que deriva de um truque de mágica. Quando um mágico dá tapinhas na cartola, seus olhos se focam no chapéu e se desviam do que ele realmente faz com a outra mão, escondida atrás das costas.

Os consumidores são frequentemente enganados por empresas da mesma maneira. Por exemplo, uma caixa de cereal que contenha a palavra *light* pode levar um consumidor preocupado com o peso a concluir que esse cereal é adequado para ele. Mas um exame das entrelinhas revela que o cereal pode não conter gorduras, mas é rico em açúcares.

Na área dos investimentos, um fundo de investimentos pode anunciar: "O maior retorno de todos os fundos", mas isso poderia simplesmente significar que os outros fundos não tiveram lucro algum, tampouco eles próprios. É como se vangloriar dizendo: "Peguei a sardinha maior."

Classificando Informações para Ficar Mais Rico

Há inúmeras lições que aprendi na Marinha sobre classificação de informações que são aplicáveis aos negócios:

> *Lição #1: Fatos versus Opinião.* A chave para a inteligência militar é saber a diferença entre ambos. O mesmo é verdade para a financeira. Muitas pessoas acham que investir é arriscado por não saberem a diferença entre fatos e opiniões. Alguns exemplos desse tipo de palpite:
>
> - Quando alguém diz que as ações de uma empresa subirão, é a opinião desta pessoa, um palpite, porque se trata de um evento futuro.
> - Quando dizem que o patrimônio de certa pessoa é de muitos milhões de dólares, é um palpite, porque nisso consiste a maioria das avaliações.

- Se uma pessoa diz: "Ele é um cara de sucesso!", é uma opinião, porque a definição de sucesso é relativa.

Lição #2: Soluções Insanas. Ela ocorre quando uma pessoa usa uma informação que é um palpite como um fato. Na guerra, isso pode matá-lo. Nos negócios, arruiná-lo. Por exemplo:

Questão: *"Por que você comprou aquela casa quando sabia que não tinha condições de possuí-la?"*

Resposta: "Comprei porque meu corretor disse que ela se valorizaria muito. Pensei que poderia comprá-la, morar algum tempo nela e depois vendê-la com um bom lucro, o que resolveria todos os meus problemas financeiros."

Pergunta: *"Por que se casou com ele mesmo sabendo que era um preguiçoso imprestável e mulherengo?"*

Resposta: "Bem, ele era um *gato*. Tive medo de perdê-lo e não queria que ninguém mais o tirasse de mim. Então, mesmo sabendo que ele traía suas mulheres e não gostava de trabalhar, achei que, após casar e ter nossos filhos, eu conseguiria mudá-lo."

Pergunta: *"Por que você permaneceu por tantos anos em um trabalho que odiava?"*

Resposta: "Sempre pensei que seria promovido."

Pergunta: *"Por que investe neste fundo de investimento?"*

Resposta: "Porque meu chefe me aconselhou. Ele achou que era um excelente investimento."

Lição #3: Ações Arriscadas. Na guerra, se você não verifica a informação e age de olhos vendados, corre risco de morte. Um investidor temerário investe com base em opiniões. Infelizmente, isso inclui a maioria dos investidores. Dado que a maioria investe por ganhos de capitais, suas decisões se baseiam em *opiniões* sobre o futuro. Se os palpites falharem, eles perdem.

Um investidor inteligente sabe a diferença entre *fatos* e *opiniões*. Genericamente, uma pessoa que investe por ganhos de capital investe em palpites. Um investidor que busca fluxo de caixa, em fatos. Se possível, um investidor inteligente investirá usando opiniões e fatos, e investirá tanto por ganhos de capital quanto por fluxo de caixa.

> **Lição #4: Controle sobre o Ativo.** Uma informação importante que sempre quero é saber quanto controle terei. No capítulo anterior, eu disse que era importante investir com controle antes de alavancar. Se não tenho controle, então não uso muita alavancagem. Eu controlo o valor de meus ativos ao dominar meus aluguéis. O valor de meus ativos não se baseia em avaliação de mercado, que costuma ser, em 99% dos casos, apenas uma opinião.

Os banqueiros, com frequência, pedem um valor grande de entrada em um empréstimo imobiliário simplesmente porque não confiam no valor avaliado.

Esse é o problema quando se usa uma opinião (ganhos de capital), e não um fato (fluxo de caixa), como base de avaliação. E isso não é verdade apenas para imóveis, mas para todas as classes de ativos. É por isso que, quando procuro informação financeira, preciso saber se ela é uma opinião ou um fato. A insanidade financeira ocorre quando *opiniões* são confundidas com *fatos*.

Os Tolos Apressados

Uma frase que adoro da música *The Gambler* (O Jogador), de Don Schlitz, cantada por Kenny Rogers, é: *You never count your money when you're sittin' at the table* ("Você nunca conta seu dinheiro quando ainda está sentado à mesa.") Quando alguém diz: "Meu patrimônio é...", ou, "Minha casa vale...", sei que falo com um jogador, uma pessoa que conta seu dinheiro enquanto ainda está na mesa de jogo. Meu pai rico dizia: "Você não deve contar seu dinheiro enquanto ainda estiver na mesa porque durante o jogo seu dinheiro não lhe pertence. No momento em que sair da mesa, o dinheiro no seu bolso é *seu*, então você poderá contá-lo."

Hoje, milhões de trabalhadores contam o dinheiro da aposentadoria enquanto ainda estão sentados à mesa. Dado que a maior parte investe em ativos financeiros e ganhos de capital, a maioria investe sem controle e na esperança de que *opiniões* se transformem em *fatos*, algo extremamente arriscado.

Isso não significa que um investidor inteligente invista apenas em fatos. Uma pessoa assim investe com base em opiniões e fatos, porque sabe que ambos podem ser valiosos. Simplificando: "Um fato é algo provado por verificação de prova física. Uma opinião é algo que *pode ou não* ser baseado em um fato." Em outras palavras, uma opinião pode ser um fato, mas permanecerá uma opinião até que seja verificada. Como diria meu amigo e sócio Ken McElroy: "Confie, mas verifique."

> ***Lição #5: Quais São as Regras?*** Leis e regras são tipos muito importantes de informação. Muitas pessoas se atrapalham simplesmente porque desconhecem, ignoram ou quebram as regras.

Pessoalmente, jamais gostei de regras. No Vietnã, gostava ainda menos. Uma das coisas que eu odiava era que lutávamos segundo um conjunto de regras, e o inimigo, segundo outro. Uma regra que eu julgava ridícula na guerra era que não podíamos perseguir o inimigo além das linhas de fronteira. Então, o inimigo lutava bem perto da fronteira e depois escapava por ela para se proteger. Houve muitas vezes em que precisamos interromper a batalha porque os norte-vietnamitas cruzavam a fronteira de volta para o Laos.

Outra regra que eu não gostava era vestir uniformes, dado que o inimigo não os usava. Uma das coisas mais difíceis sobre um combate é não ter a informação sobre quem é inimigo e quem não é. Um uniforme fornece esta informação.

As Regras Aumentam o Valor dos Ativos

Foi meu pai rico quem mudou minha atitude com relação às regras: "Se não há regras, não há ativos." Explicando um pouco mais, ele disse: "Em uma vizinhança em que as regras são quebradas, a criminalidade é alta e os valores das propriedades caem." Explicando ainda mais, completou: "Se você pratica um esporte e não há juízes para impor as regras, o jogo vira um caos. Se dirige em uma estrada sem policiamento, pessoas morrem. É por isso que as regras são importantes."

Elas podem fazer com que as pessoas fiquem muito ricas ou muito pobres. É por isso que estar informado sobre as regras é importante. Há pouco tempo, os executivos da Enron quebraram as regras; a empresa desapareceu, trabalhadores perderam seus empregos e investidores, seu dinheiro. No mundo dos investimentos, ativos diferentes possuem regras particulares. Não gosto de fundos de investimentos porque não gosto de suas regras, pois não as controlo. Prefiro as regras do mercado imobiliário, porque me permitem ganhar mais dinheiro e, como empresário, pagar menos impostos legalmente. Se eu aplicar as regras deste mercado no financeiro, vou para a cadeia.

Para as pessoas que querem enriquecer, contratar bons advogados e contadores é muito importante. Hoje, há tantas leis, regras e regulamentos que é simplesmente impossível a qualquer pessoa comum saber ou entender tudo. Ainda que contratar essas pessoas possa parecer caro, os aborrecimentos que nos poupam e o dinheiro que nos possibilitam fazer mais do que compensam as taxas que cobram.

Lembre-se de duas coisas: as regras representam uma fonte valiosa de informação sobre como o jogo do dinheiro é jogado. E, sem elas, os ativos declinam em preço.

Lição #6: Tendências. Uma tendência se desenvolve quando um investidor obtém uma informação de um conjunto de *fatos* e então forma uma *opinião*. Eis aqui uma história de grande impacto em minha vida.

No final de 1972, o Exército Norte-Vietnamita (ENV) cruzou a Zona Desmilitarizada (ZDM). O ENV queria tomar a cidade de Saigon, conhecida hoje como Ho Chi Minh. A primeira grande cidade ao sul da ZDM era Quang Tri. Sabíamos que, se não os parássemos ali, a guerra estaria perdida.

Quando começamos a perder a batalha de Quang Tri, notei um tráfego diferente de mensagens. Uma informação era de que os sul-vietnamitas estavam trocando sua moeda corrente, o piastra vietnamita, por ouro. Considerei esta peça obscura de informação bastante interessante.

Como disse anteriormente, o dólar deixou de ser dinheiro e passou a ser moeda corrente em 1971. Em 1973, no Vietnã, observei as mudanças das regras do dinheiro por meio da informação sobre o pânico das pessoas no sul. Elas sabiam que a guerra estava perdida e que estavam do lado perdedor.

Em 1971, a onça do ouro valia US$35; em 1973, vi o preço subir para US$80. À medida que os norte-vietnamitas marchavam para o sul, o medo foi se aproximando do nível de pânico. Os ricos que eram aliados dos Estados Unidos se preparavam para fugir, mas, em vez de adquirir piastras ou dólares, adquiriam tanto ouro quanto possível. Um dos relatórios de inteligência que recebi dizia o seguinte: "Confiança perdida. Pessoas prontas para fugir. Trocando 'Ps' (piastras) por ouro."

Sentado na sala dos assuntos secretos, percebi que as pessoas queriam ouro, e assumi que sabiam que ele compraria uma passagem para outro país. Pude sentir sua angústia e sabia que o ouro poderia salvar sua vida.

Eu conhecia os fatos. Os Estados Unidos estavam perdendo a guerra. Internacionalmente, o dólar caía e o preço do ouro subia. Eu soube, pelo relatório de inteligência, que o povo vietnamita estava entrando em pânico e trocando sua moeda por ouro. Para mim, esta tendência era uma oportunidade de investimento, e usei-a para formar uma *opinião*.

Alguns dias mais tarde, um amigo e eu voamos para o norte, atrás das linhas inimigas, com a esperança de comprar ouro. Nossa *opinião* era que os mineiros vietnamitas estariam desesperados para nos vender seu ouro, dado que o ENV acabara de invadir sua vila. Em nossa *opinião*, os mineiros não perderiam a oportunidade de receber nossos dólares. Nossa *opinião* era que estávamos em uma boa posição para comprar ouro barato. Por conta de nossa *opinião*, baseada em *fatos* novos, estávamos dispostos a quebrar algumas regras e a arriscar nossa vida simplesmente para ganhar alguns dólares.

Mas, ao contrário, quase fomos mortos. Em vez de comprar o ouro barato, aprendi uma lição valiosa sobre ouro e moedas. Naquele dia, descobri que o preço do ouro, na verdade, era o mesmo em qualquer lugar do mundo. E, naquele dia, estava cotado a US$82 a onça, não importando se comprássemos em territórios norte-americano ou do ENV.

Estar atrás das linhas inimigas, com a esperança de comprar ouro a um preço mais baixo, é um exemplo perfeito de como tornar-se mais competente por ter sido estúpido. Eu estava fazendo o equivalente a um MBA em finanças internacionais ao discutir com uma velha mulher de dentes vermelhos, manchados por mastigar uma castanha regional chamada betele, em frente a um barraco de bambu, que funcionava como escritório da mineradora. Embora eu não tenha perguntado, sinceramente, duvido que aquela mulher tivesse um diploma de Harvard. Aliás, duvido que tivesse qualquer educação formal, mas ela foi uma grande professora. Ainda que não estivesse vestida para o sucesso nem me parecesse letrada, ela conhecia seu negócio, principalmente quando se tratava do valor e do preço do ouro. Era financeiramente inteligente e bem linha-dura. Não iria deixar que dois jovens pilotos norte-americanos a convencessem a vender seu ouro, trocando-o por dólares, os quais estavam se desvalorizando rapidamente.

Até hoje lembro vividamente de estar à sua frente, implorando por um desconto de US$5. Eu estava disposto a pagar US$77, e não o preço mundial de US$82. Em vez de pegar nosso dinheiro, ela balançava a cabeça em negativa, e mastigava seu betele. Sabia o preço e conhecia as forças econômicas locais e a geopolítica do mundo. Estava informada, atualizada e não tinha pressa alguma em vender seu ouro. Sabia, ainda, que a *tendência* estava do seu lado, e não do nosso, e que havia muitas pessoas bem mais desesperadas por seu ouro do que dois pilotos tentando ganhar alguns dólares.

Quando percebi que ela não iria ceder, pensei: "Estou morto, hoje vou morrer além das linhas inimigas, pedindo por um desconto de US$5. Ninguém nos encontrará. Ninguém jamais saberá o que aconteceu conosco. Seremos dados como perdidos em ação — e nem sequer estávamos em qualquer tipo de ação. E o que é pior: não vou morrer por uma causa nobre, mas sim tentando obter um desconto de poucos dólares sobre o preço de uma commodity internacional. Vou morrer porque sou ganancioso e estúpido. Se eu ficar aqui mais um instante, vou levar um tiro pelas costas, regateando um desconto com esta mulher. Sou tão estúpido que mereço morrer."

A Tendência É Sua Aliada

Três foram as lições que aprendi naquele dia. Uma foi o poder dos mercados globais. Um mercado global significa que o preço é o mesmo no mundo inteiro. O ouro é precificado nos mercados internacionais, enquanto os imóveis o são nos locais.

A velha vietnamita ganhou porque tinha informações de ambos: do mercado global e do local. Ela ganhou porque estava mais bem informada e era mais competente do que nós dois.

Hoje, entendo que tenho que saber qual é a informação local importante e qual é globalmente. Atualmente, gosto de imóveis porque são ativos mais dependentes de informação local do que global. Com imóveis, posso ser o especialista em minha pequena área. Com informação local, posso ser mais competente do que os grandes investidores institucionais de Nova York, Londres, Hong Kong ou Tóquio. Assim como Davi venceu Golias, um pequeno investidor com inteligência e informação de qualidade pode abater o gigante.

A segunda lição que aprendi naquele dia foi sobre o poder das tendências. Se eu tivesse entendido melhor as tendências e o preço do ouro, teria feito muito dinheiro, sem ter arriscado minha vida além das linhas inimigas. Eu não precisava ir além daquelas linhas para investir. Nem precisava pedir um desconto. Tudo o que eu tinha que fazer era investir com a *tendência*. Poderia ter ido a qualquer lugar que negociasse ouro, em qualquer cidade do mundo, e comprado o metal pelo mesmo preço. Por volta de 1979, a tendência tinha elevado o preço do ouro para quase US$800 a onça. Eu não precisava ter arriscado minha vida se tivesse confiado nela. Eu teria feito muito dinheiro sem precisar de um desconto.

A terceira e mais valiosa lição daquele dia foi que informação é simplesmente informação. Inteligência é a habilidade de pegar uma informação e significá-la. A velha mulher de dentes vermelhos tinha a mesma informação que eu. Ainda assim, sua inteligência permitiu um entendimento e um significado que eu não consegui vislumbrar. Ela era uma jogadora experiente e conhecia o jogo. Eu era o garoto, jogador novato, em um jogo antigo.

Quando os mercados explodiram e as pessoas entraram em pânico, em agosto de 2007, pensei naquela velha mulher. A primeira coisa que fiz foi checar as tendências. Em vez de me juntar à multidão e entrar em pânico, mantive meu medo controlado e voltei a focar as tendências do mercado, e não em suas oscilações. Revi os *fatos* e formei minha própria opinião sobre o futuro.

Procurei informações sobre o que os bancos centrais faziam. Mais uma vez, estavam imprimindo moedas, em vez de resolver o problema. Quando soube do *fato* de que os bancos centrais internacionais injetavam moeda nos mercados em crise, imediatamente percebi que a minha opinião de que o poder de compra do dólar continuava baixo ainda era válida.

Hoje, em vez de diversificar, prefiro focar alguns pequenos ativos, perceber uma tendência e investir com ela. Dado que eu sei que uma tendência pode reverter-se e mudar de direção, não invisto cegamente em longo prazo. A Era da Informação representa mudanças, e é preciso ser flexível — não um robô.

Algumas das tendências nas quais invisto hoje são:

- **Petróleo.** Como você sabe, quanto mais a China, a Índia e o Leste Europeu se ocidentalizam, mais a demanda por petróleo cresce. Mesmo com a urgência de encontrar fontes alternativas de geração de energia, o petróleo continuará sendo a principal por muitos anos. Ainda que eu não goste dos danos ambientais que ele causa, a complexa realidade é que todos o usamos — até mesmo o ambientalista mais devoto. Acredito que a tendência de longo prazo para o preço do petróleo seja de alta, possivelmente tanto quanto US$200 o barril, em um futuro próximo. O preço elevado causará séria repercussão na economia mundial, e mais tarde conduzirá a outras tendências, que merecem ser seguidas, à medida que tecnologias alternativas de energia, como a solar, vão avançando.

- **Prata.** Acredito que seja o melhor investimento atualmente, mais ainda que o petróleo. Há duas razões para eu dizer isso. A primeira é que a prata é um metal utilizado pela indústria. É um metal escolhido para a fabricação de eletrônicos, usado em computadores, telefones celulares e outros aparelhos. Estima-se que 95% de toda a prata do mundo já foi consumida, o que a torna uma commodity cada vez mais escassa. Com o ouro, ocorre o contrário: estima-se que 95% de todo o ouro já encontrado não foi utilizado, dado que é acumulado como reserva. De muitas maneiras, isso faz com que a prata seja mais valiosa que o ouro.

A segunda razão é o fato de a prata ser também um metal precioso, uma forma de dinheiro. À medida que o dólar perde poder de compra, mais pessoas procurarão por algo que represente dinheiro real, ou que ao menos mantenha valor. Enquanto escrevo, a prata está muito barata comparada ao ouro: aproximadamente US$13 a onça, enquanto o ouro está cotado em, aproximadamente, US$600. Historicamente, o preço do ouro tem sido de apenas catorze vezes o da prata, o que significa que, se a prata estiver a US$10 a onça, o ouro estará sendo comercializado a US$140. Hoje, as operações estão com um diferencial de 50. Para mim, com base nas tendências históricas e no *fato* de que a prata é um metal consumível, ela tem maior chance de expansão.

A prata é consumível e, ao mesmo tempo, um metal precioso; isso faz dela a oportunidade de investimento da década. Os relatórios dizem que há menos de 300 milhões de onça de prata disponíveis no planeta. Isso significa que o mundo não terá mais prata ao final de 2020. Por causa disso, alguns especialistas importantes em prata sentem que o metal se tornará tão caro quanto o ouro em apenas alguns anos. Não acredito que subirá tanto. Ainda assim, devido às tendências de oferta e procura, acredito que investir em prata seja uma oportunidade única. Hoje ela está barata. É um investimento de baixo risco, que qualquer pessoa no mundo ocidental pode assumir. É por isso que observo as tendências e compro prata sempre que seu preço cai. Naturalmente, posso estar errado; assim, é melhor para você fazer as próprias pesquisas, e descobrir as próprias informações antes de investir nesta tendência.

- **Mercado Imobiliário.** Uma das explicações para o alto preço das commodities é que o mundo precisa e quer mais moradias. A demanda por concreto na China, por exemplo, causou escassez de concreto nos Estados Unidos, que, por sua vez, elevaram o preço às alturas.

Adoro investir em imóveis porque, ricas ou pobres, as pessoas sempre pagarão por um teto. Nos Estados Unidos, espera-se que a população passe de 300 para 400 milhões nas próximas duas décadas. Assim, acredito que o preço dos imóveis continuará com tendência de alta.

À medida que os imóveis se tornam mais caros e mais difíceis de adquirir, e os salários caem, creio que a tendência seja aumentar o número de pessoas que procuram por imóveis para alugar. Kim e eu não entramos em pânico em agosto de 2007 por termos imóveis alugados para fluxo de caixa; não os vendemos. Pessoas que investem por ganhos de capital são aquelas que compram imóveis para revendê-los.

Demografia É Destino

A demografia é uma fonte muito valiosa de informação. Em outras palavras, observe as pessoas, como fiz no Vietnã, e você saberá como investir. Quando eu soube que as pessoas compram commodities caso se sintam ameaçadas ou em pânico, tive uma *informação* valiosa para basear minhas *opiniões* sobre as tendências. Quando o ouro caiu abaixo de US$400 a onça, comecei a comprar um pouco, e passei a comprar muito quando atingiu US$275. Então, o preço começou a subir de novo; em outras palavras, segui a tendência de baixa e comprei muito quando ela se confirmou. Gosto de ouro e prata por sempre haver um mercado para eles. São relativamente líquidos e, se preciso de dinheiro, posso consegui-lo muito rapidamente.

Histórias e Ciclos

Para uma menção final em tendências, é preciso ressaltar a importância da história e dos ciclos. Por ter sobrevivido inúmeras vezes às flutuações do mercado, aprendi muito com a história. Há uma tendência financeira histórica bastante relevante. É o ciclo de 20 anos entre o mercado acionário e o de commodities. Como uma pessoa que navegou em petroleiros e pilotou helicópteros em busca de ouro, fiquei curioso sobre o porquê de o preço das commodities subir quando o das ações cai. Há poucos anos, encontrei um livro escrito por um de meus autores financeiros favoritos, Jim Rogers, intitulado *Hot Commodities* ("Boas Commodities", em tradução livre). Ele descobriu que o preço das ações sobe por 20 anos, ao mesmo tempo em que o das commodities cai.

Por exemplo, de 1960 a 1980, o preço de commodities como petróleo e ouro estava subindo. Em 1980, o preço do petróleo, do ouro, da prata e dos imóveis caiu rapidamente, enquanto o das ações começou a subir. Entre 1980 e 2000, o lugar para se investir era o mercado de capitais, enquanto investir em petróleo, ouro ou prata era muito ruim. Enquanto o mercado de commodities estava em baixa, eu comprava todo o petróleo, o ouro, a prata e os imóveis que podia. Exatamente em 2000, no auge da ascensão do mercado tecnológico, o preço das ações caiu e o das commodities voltou a subir. Se a história se repetir, as commodities cairão em 2020 e as ações voltarão a representar o mercado ideal em que investir.

Obviamente, não tenho bola de cristal, mas o passado realmente parece permitir o vislumbramento do futuro. E sou velho o suficiente para já ter visto algumas boas reprises.

Resumo

Ao final, não são os ativos que o enriquecem; a *informação* faz você rico — ou pobre. Por exemplo, se eu tivesse comprado ouro a US$800 a onça em 1979, estaria até hoje esperando o retorno do meu dinheiro. Em face da desvalorização do dólar no período, teria que esperar que o ouro subisse até US$1.500 para alcançar o ponto de equilíbrio, o chamado *breakeven*.

O mesmo ocorre com qualquer ativo. Por exemplo, no mercado imobiliário, os investidores perdem dinheiro devido à pouca inteligência financeira e às informações inadequadas. É por isso que, quando alguém me pergunta: "Imóveis são bons investimentos?", minha resposta é: "Não sei. Você é um bom investidor?"

A maioria dos negócios fracassa muito mais por conta da falta de boas informações e inteligência financeira do que propriamente por uma escassez financeira. Quando me dizem: "Tenho uma grande ideia para um novo negócio e preciso de dinheiro. Você tem interesse em investir na minha nova empresa?", minha resposta é: "Não sei. Quantos negócios de sucesso você já iniciou?"

Ser voluntário no Vietnã foi uma das coisas mais inteligentes que já fiz. Não fosse por isso, eu nunca teria encontrado aquela velha mulher mascando suas castanhas de betele. Naquele dia, atrás das linhas inimigas, ela me ensinou uma lição muito importante. Ela ganhou porque sabia que o *preço* do ouro nada tinha a ver com o *valor*. Ao compreender o que era *valor*, ela soube por que as pessoas o compravam e por que era tão importante. Naquele dia, aprendi que não é o ativo que o torna rico — a informação e sua inteligência enriquecem você. Se posso perder dinheiro investindo em ouro, que é dinheiro de verdade, posso perdê-lo em qualquer outra coisa. Naquele dia, prometi me tornar financeiramente proficiente, porque ela me ensinou que informação e inteligência fazem você rico — não o ouro.

Capítulo 8

A Completude do Dinheiro

"COMPLETUDE" É UMA PALAVRA INTERESSANTE. Eu já a escutei sendo utilizada de muitas maneiras distintas e nos mais variados contextos. Acredito que seja uma das mais mal interpretadas que existem. Muitas vezes escutei: "Ele não é completo", ou, "Se eles fossem completos seriam mais bem-sucedidos". Outros podem dizer: "A casa tem certa completude estética." Antes de discutir a completude do dinheiro, creio ser melhor dar minha própria definição de "completude".

Os dicionários costumam oferecer três definições de completude:

- *Estado, condição ou qualidade do que é completo.*
- *Aquilo a que não falta nada.*
- *Antônimo de incompletude.*

A Completude de um Carro

Todas as três definições são necessárias para discutir dinheiro e completude. Para ilustrar melhor, usarei o exemplo da completude em um automóvel. O automóvel é feito de vários sistemas: de freios, óleo, elétrico, hidráulico, e assim por diante. Se os sistemas não operarem com completude, o carro não funcionará, não estará intacto, saudável, sem defeito. Se o sistema de combustível, por exemplo, estiver *corrompido*, o carro inteiro para. A completude do carro estará comprometida e destruída. O carro não será mais uma *totalidade*.

A Integridade da Saúde e da Riqueza

Pode-se fazer um exame similar com o corpo humano. Alguns de seus sistemas são: arterial, respiratório, nervoso, ósseo, digestivo, e assim por diante. Se a completude dos sistemas do corpo humano não for consistente e harmônica, se estiver corrompida por artérias entupidas, por exemplo, a saúde declina, acarretando, com isso, sérias consequências, como doença e morte.

Assim como a *saúde* pode se desintegrar a partir da falta literal de completude, também a *riqueza* é comprometida sem ela. Em vez de doença e morte, que surgem de um rompimento da completude do corpo, os sintomas da falta de completude financeira são baixa renda, impostos incapacitantes, despesas altas, dívidas excessivas, insolvência, baderna, aumento da violência e dos crimes, tristeza e desesperança.

Já listei os cinco QIs financeiros. Uma vez mais, são eles:

QI Financeiro #1: Ganhar Mais Dinheiro

QI Financeiro #2: Proteger Seu Dinheiro

QI Financeiro #3: Controlar Seu Orçamento

QI Financeiro #4: Alavancar Seu dinheiro

QI Financeiro #5: Obter Informações Melhores

Se uma pessoa quiser enriquecer, permanecer rica e transmitir sua riqueza para as gerações seguintes, é preciso contar com a completude dos cinco QIs.

Quando uma pessoa enfrenta dificuldades financeiras, um — ou mais — desses QIs está desalinhado, a completude financeira não é substancial nem a pessoa, completa. Por exemplo, tenho uma amiga que ganha muito dinheiro como administradora de um pequeno negócio. O problema dela é o próprio orçamento, que não é bem gerido. Gasta compulsivamente, não faz planejamento orçamentário e viaja cercada de luxos. Ela busca aconselhamento financeiro com seu marido e com o consultor financeiro dele. O marido é um cara legal, mas, assim como sua esposa, tem desafios similares com seus cinco QIs.

Os dois são pessoas simpáticas, cultas, honestas, espiritualizadas e esforçadas. Curtem a vida e criam filhos sensacionais. O problema é a falta de inteligência financeira. Esta lacuna na completude financeira aparece como preocupação com o pagamento de compras excessivas nos cartões de crédito, dificuldade em poupar para a faculdade dos filhos e aposentadoria. Esses são sintomas típicos da falta de completude financeira.

O problema é que eles não acham que têm um problema. Levantam todos os dias, mandam as crianças para a escola e vão trabalhar. Voltam para casa no fim do dia, brincam com as crianças, ajudam os filhos com o dever de casa, veem um pouco de televisão e vão para a cama. Eles sabem que algo está errado, mas preferem não descobrir o que é. Simplesmente esperam que as coisas mudem.

Orçamento Pessoal

Como a maioria das pessoas, meus amigos não fazem orçamentos para controlar a contabilidade pessoal; sequer sabem o que é isso ou por que é importante. Como a maioria dos estudantes, meus amigos saíram da faculdade sem saber como utilizar crédito com sabedoria. Sem um orçamento, não conseguem entender exatamente como está sua situação financeira, o que pode estar errado e por que não atingem a completude financeira. Sem um orçamento e os cinco QIs, pode ser bem difícil determinar o que está errado e o que precisa ser corrigido.

Em minha opinião, é aqui que a *falta de completude* começa — no sistema escolar, no QI #5. Desde que começou a se requerer das pessoas que cuidassem da própria aposentadoria, o sistema escolar deveria ter adicionado educação financeira ao currículo. A falta de educação financeira abala a completude financeira das pessoas ao redor do mundo.

Reflexos da Completude Financeira

"Meu banco nunca me pediu meu histórico escolar", dizia meu pai rico. Os bancos não o pedem por estar em busca de inteligência financeira, não acadêmica. É por isso que querem informações sobre sua vida financeira, porque isto é um reflexo de sua completude, o equivalente a um *relatório de desempenho financeiro*.

Os bancos procuram dados relacionados aos cinco QIs financeiros. Obviamente, querem certificar-se de que você sabe ganhar dinheiro, protegê-lo, fazer orçamentos e alavancá-lo, e querem, também, saber o quanto é informado.

Sem Completude Financeira

Se uma pessoa estiver sem sua *completude financeira* — demonstrada por dívidas excessivas, falta de orçamento, gastos que ultrapassam os ganhos, nome no cadastro de devedores —, o banco provavelmente não desejará tê-la como cliente. É uma questão de *completude profissional* do banco.

Na crise dos mercados em 2007, ficou claro que as instituições financeiras norte-americanas não possuíam completude. A ganância tomou o lugar das práticas saudáveis de crédito, e a economia não pode se expandir com base unicamente no crédito. Ao falhar em ensinar sobre dinheiro e castrar a inteligência financeira nas escolas, o sistema cria adultos despreparados para enfrentar nosso admirável mundo novo. Bilhões de adultos, em toda parte do mundo, não controlam a contabilidade pessoal, não conseguem *ler* a demonstração financeira das empresas e não conhecem as condições financeiras do próprio país. Isso representa um dano para a *completude educacional*.

Valor Intrínseco

Warren Buffett não diversifica. Em vez disso, procura por companhias que possuam *valor intrínseco*, empresas com completude financeira. Ele quer saber se a empresa reúne os cinco QIs financeiros. De maneira simplificada, o que Buffett quer é uma resposta às seguintes perguntas:

1. A empresa é capaz de criar mais dinheiro?
2. Tem um nicho exclusivo?
3. Administra bem seu dinheiro e recursos?
4. O negócio da empresa pode ser alavancado e expandido?
5. Ela é gerida por um time de profissionais inteligentes e bem informados?

Em termos ainda mais básicos, o *valor intrínseco* engloba:

1. Nicho. Corresponde ao fato de a empresa ter uma competência básica, algo que lhe permitirá fazer dinheiro em tempos bons ou ruins. A Coca-Cola se encaixa neste quesito. As pessoas sempre beberão água açucarada, não importa se a água pura é ou não melhor para elas.

Uma grande vantagem da Coca-Cola é sua marca, que é protegida por lei. Você deve se lembrar de que o QI #2 é proteção. Com base nisso, Warren Buffett gosta deste produto porque é uma marca patenteada, não apenas um produto, uma mercadoria como qualquer outra. Ser uma marca famosa, protegida e defendida dos piratas, aumenta o valor intrínseco da Coca-Cola.

A marca *Rich Dad* é protegida por lei em todos os países com os quais fazemos negócios, o que dá a meu produto um valor intrínseco maior. Muitos autores escrevem livros, mas não conseguem construir uma marca. Como você sabe, Harry Potter é uma megamarca. Assim como Donald Trump. Se você não é uma marca, então é uma mercadoria. Uma marca tem maior valor intrínseco e o mantém, precisa ser fiel à mensagem e a seus clientes.

Há poucos anos, uma famosa distribuidora de valores me abordou e pediu que eu ajudasse a divulgar seus produtos. Embora a proposta de remuneração fosse significativa, preferi recusá-la. Para mim, me associar a uma administradora de fundos de investimentos não seria fiel à *Rich Dad*; seria uma falta de completude, o que diminuiria o valor intrínseco da minha marca. Além disso, eu não poderia fazê-lo sem falsidade.

2. Alavancagem. Este ponto separa os pequenos proprietários de negócios dos grandes. Por exemplo, para um médico, fica difícil alavancar seu valor se seus pacientes vão a seu consultório apenas para vê-lo. Mas se o mesmo médico descobriu algum tipo de cura ou inventou algum remédio, então a inteligência médica desse profissional pode ser *alavancada* por meio de algum produto.

Há muitos proprietários de pequenos negócios e profissionais que não são capazes de se alavancar porque *são* o produto. A maioria dos empregados recai nesta categoria. Eles não sabem como alavancar seus serviços e trocam tempo por dinheiro.

Muitos de nós conhecemos músicos que trabalham muito, mas não ganham dinheiro simplesmente porque são incapazes de alavancar seus talentos. Existem por aí muitos músicos que produzem um CD, uma forma de alavancagem, mas que não conseguem alavancar sua distribuição e venda. É por isso que programas de calouros são tão populares. As pessoas que acham que podem cantar querem a alavancagem das cadeias de TV nacionais, mesmo sob o risco de serem ridicularizadas.

3. Expansão. Uma vez que um produto ou negócio pode ser alavancado, a próxima pergunta que Buffett faz é: "Até onde a alavancagem pode ir?" Buffett adora Coca-Cola porque sua alavancagem se estende ao redor do mundo. Ele costuma dizer: "Toda vez que alguém bebe uma Coca em algum lugar do mundo, ganho algum dinheiro."

O livro *Pai Rico, Pai Pobre* foi minha alavancagem. Em vez de ensinar pessoalmente, meu livro e meus jogos o fazem por mim. A tarefa seguinte foi expandir o mercado dos produtos vendendo para países diferentes, imprimindo livros e jogos nos respectivos idiomas. Isso foi feito licenciando os direitos de fabricar os produtos *Rich Dad* para diversas empresas no mundo. Em vez de ter minha própria editora e distribuir meus produtos, tenho editores em 109 países que fazem isso por mim. Esse é meu exemplo de alavancagem e expansão.

4. Previsibilidade. O que Warren Buffett quer saber é quão previsível é a renda da empresa. Ele não quer picos nem vales na lucratividade. Quer garantir sua continuidade, chova ou faça sol.

Gosto de meus prédios residenciais porque o dinheiro não para de entrar, em qualquer circunstância. Não estou preocupado se o preço do mercado imobiliário sobe ou cai; quero meu dinheiro entrando 24 horas, 7 dias da semana, vindo de todos os lugares do mundo e também do aluguel de meus apartamentos.

É por isso que Buffett não *diversifica*; em vez disso, foca o *valor intrínseco* do negócio. Para reconhecê-lo, são necessários os cinco QIs financeiros. Quando uma empresa tem valor intrínseco, também tem completude. E quando a tem, maiores suas chances de crescer e permanecer rentável, apesar das mudanças nas condições econômicas.

Antes de investir em uma empresa, um investidor profissional analisa as demonstrações financeiras. O que esse profissional procura é a completude da empresa. O mesmo vale quando um investidor de imóveis compra um prédio residencial. Quando conhece a taxa interna de retorno (TIR), você sabe seu valor intrínseco.

O problema para a maioria das pessoas, devido à ausência de educação financeira nas escolas e à inabilidade de ler demonstrações financeiras, é que não sabem se a empresa ou o imóvel em que investem possuem *completude financeira* e *valor intrínseco*.

A Linguagem dos Negócios

Buffett costuma dizer: "A contabilidade é a linguagem dos negócios." Se não conhecer a linguagem, é difícil dizer se o negócio tem completude. Acredito firmemente que a inteligência financeira e a capacidade de falar a linguagem dos negócios são cruciais em um mundo de ganância e de completude questionável.

A Completude Financeira dos Governos

Os cinco QIs financeiros também deveriam ser requeridos dos governos. Eles precisam fazer dinheiro, protegê-lo, controlar orçamentos, alavancá-lo e procurar informações financeiras melhores. Se um governo opera com completude, tanto ele quanto seu povo evoluem. Mas, se não tiver completude, ambos enfrentam sérios desafios e empobrecem. Impostos altos e dívida excessiva são sinais de que o governo está em conflito com sua completude financeira.

A Era da Completude

A história sempre se repete. Nossos líderes e educadores estão conscientes do que acontece quando os governos violam a completude do dinheiro. Copérnico, em 1517, escreveu que a inflação era um dos vilões que debilitavam os reinos. Adam Smith, em 1776, disse que a inflação causa "a mais perniciosa subversão das fortunas das pessoas físicas". O alerta de Smith tornou-se verdade posteriormente na Alemanha, quando Hitler subiu ao poder, depois que o governo de Weimar subverteu a completude da moeda alemã.

Pessoalmente, acredito que tanto os Estados Unidos quanto o mundo estão se encaminhando para uma tempestade. Após termos ficado por muito tempo desviados da completude, acredito que forças financeiras, políticas, ambientais e espirituais demandarão que o pêndulo se mova em outra direção. Não sei o que acontecerá exatamente, mas creio que já pode ter começado.

Infelizmente, os super-ricos — aqueles que mais se beneficiam do atual sistema — serão os menos afetados pela crise financeira que está vindo. Será o resto de nós que sofrerá as forças da natureza e que virá a ser chamado para fazer o melhor possível a fim de combater o *furacão*. Os pobres sofrerão mais.

A boa notícia é que os problemas nos tornarão mais competentes, isso se os encararmos com coragem e não fugirmos. Em cada problema, existe uma pérola de sabedoria que nos torna mais inteligentes, fortes e capazes, não importando as condições econômicas.

Uma notícia ainda melhor é que alguns governos já estão começando a implementar cursos de educação financeira em seus sistemas educacionais. Prevejo que o país que tiver a melhor educação financeira conduzirá o mundo a uma nova era de prosperidade econômica. Afinal de contas, esta é a Era da Informação.

Aumente Seu Valor Intrínseco

Nesse meio-tempo, é importante para cada um de nós se preparar para a tempestade que vem por aí.

Minhas recomendações são:

> *1. Coloque a Casa em Ordem.* Assim como um marinheiro prepara seu navio para a tempestade, prepare seu barco financeiro para o mar revolto. Dê uma olhada nos cinco QIs financeiros e pergunte-se em qual deles precisa melhorar. Qual é seu maior problema? Foque esse QI e não tente alcançar todos os cinco de uma vez. Isso seria exaustivo. Acredito que descobrirá que todos estão relacionados. Assim, focando apenas um, você eventualmente melhorará todos os outros. Em seu próprio compasso, aprenda um pouco todos os dias. Lembre-se sempre de que ninguém se torna um profissional de golfe em um dia.
>
> Ao aumentar os cinco QIs financeiros, você atingirá a completude financeira e o próprio valor intrínseco. Se não estiver seguro do que deve fazer, não tenha medo ou vergonha de pedir ajuda. No próximo capítulo, sobre habilidade financeira, descrevo o quanto dependi de pessoas inteligentes para me ajudar. Ninguém está isento disso.
>
> *2. Invista em Ativos com Valor Intrínseco.* Dê outra olhada em alguns critérios que Warren Buffett adota para estabelecer o valor intrínseco de

um negócio. Então, para praticar, pergunte a si próprio quais negócios a seu redor atendem a esses requisitos. Se você ainda não investe, este é um excelente exercício para desenvolver sua inteligência financeira.

Valor Intrínseco do Mercado Imobiliário

Uma das razões pelas quais gosto de imóveis é que sou capaz de ver, tocar, sentir muito do valor intrínseco das propriedades. Lembre-se sempre de que a maioria dos imóveis não é um bom investimento. O bom exercício, não importa se você tem dinheiro, é visitar muitas propriedades e *sentir* seus valores intrínsecos.

Uma das belezas do mercado imobiliário é a criatividade. Por exemplo, posso usá-la para buscar financiamentos, fazer melhorias ou aumentar o valor da propriedade. A criatividade não é uma vantagem quando escolhemos ações ou compramos fundos, mas em imóveis a criatividade, somada à completude, pode enriquecê-lo.

Recolher as Velas

Como nos ensinaram na Marinha, quando um temporal se aproxima, é hora de *recolher as velas*, ou seja, preparar-se para um momento difícil, precavendo-se de todas as formas possíveis. Isso significa proteger a integridade do navio. Em meus poucos anos no mar, tive a chance de navegar por três tufões. Ainda hoje, posso ver as ondas monstruosas, verdadeiras montanhas de água, açoitando o navio inteiro. Posso ver, sentir e ouvir o navio rangendo, invadido pelas águas, reemergindo das ondas, extenuando-se para manter a integridade estrutural. Fico feliz com o fato de os engenheiros terem projetado um navio fabuloso e de a tripulação, por ter sido bem treinada, estar preparada para enfrentar as tempestades.

Creio que o caos aumenta conforme a Era da Informação assume o controle. À medida que o preço do petróleo sobe, o dólar se desvaloriza, a China e a Índia começam a produzir carros e aviões, os empregos das manufaturas desaparecem, as corporações mudam de países, os aposentados esperam pelos benefícios do governo, o terrorismo e as dívidas aumentam; os problemas anteriormente varridos para debaixo do tapete ficarão expostos. Na Era da Informação, seus maiores ativos serão os cinco QIs financeiros.

Acredito que a completude financeira do mundo será mais desafiada do que nunca antes na história. Acredito nisso porque tem havido muita ganância, desinformação e corrupção na administração de nossos negócios, governos e escolas. O olho do furacão ainda está alguns anos à frente. Por isso use esse tempo para se preparar. E seja corajoso, porque será estimulante. Será uma época fantástica para tornar-se ainda mais rico, mas você terá que se mostrar destemido e desenvolver sua inteligência financeira.

Capítulo 9

Proficiência Financeira

Eu não sabia que não era *inteligente* até o dia em que fui para a escola. Por 17 anos, do jardim de infância até a faculdade, a escola era uma luta. Sempre fui considerado um aluno *mediano*. Não importava em qual série estivesse, sempre havia alguma criança mais esperta, talentosa e sagaz do que eu. A escola parecia fácil para elas. Para mim, foi muito difícil. O único "A" que recebi foi na área de marcenaria porque adorava trabalhar com as mãos. Construí um barco para meu projeto de classe, enquanto meus colegas faziam tigelas de salada para suas mães.

Eu também não sabia que era *pobre* até que fui à escola. Quando eu tinha 9 anos, minha família se mudou para outro bairro e fui para uma escola de crianças ricas. Curiosamente, naquele lugar havia duas escolas de ensino fundamental na mesma rua, uma em frente à outra. De um lado da rua, ficava a *Union School*; do outro, a *Riverside School*. Ambas eram escolas públicas. Uma, para os ricos e a outra, para os filhos dos trabalhadores.

Originalmente, a *Union School* atendia às crianças do sindicato dos trabalhadores de antigas plantações agrícolas. Já a *Riverside* era para as crianças dos proprietários e administradores. Fui para a *Riverside School* porque a casa em que minha família vivia ficava, por acaso, do lado da rua próxima ao rio.

Ainda que eu tivesse apenas 9 anos, tinha consciência de que meus colegas de sala na *Riverside School* tinham um padrão de vida superior ao da minha família. Muitos de meus colegas ricos viviam em um condomínio isolado conectado por uma ponte sobre o rio. Todas as vezes que eu cruzava a ponte para brincar com eles, sabia que estava entrando em um mundo diferente.

Do outro lado da ponte, meus colegas de sala viviam em casarões antigos e imponentes. Do meu lado, as casas eram muito mais simples. A casa em que eu vivia fora construída para os antigos lavradores. Os pais dos meus colegas de sala eram proprietários de suas casas; meus pais pagavam aluguel. Muitos dos meus colegas de sala tinham mais de uma casa. Muitos deles possuíam casas de veraneio com praias particulares. Já minha família, quando ia para a praia, ficava em praias públicas abarrotadas. Meus colegas de sala *frequentavam* o Iate Clube e o Country Clube; eu *trabalhava* no Country Clube.

Embora ricos, meus colegas e as respectivas famílias não eram esnobes. Eram pessoas amigáveis e muito envolvidas com a comunidade. Eu despendia boa parte do meu tempo com eles em suas casas de praia, em seus barcos ou viajando em seus aviões. Eles não entesouravam sua riqueza; compartilhavam-na. Para eles, ser rico parecia natural — e não algo especial. Era simplesmente um estilo de vida, eu é que achava que era especial. Às vezes, me sentia desconfortável e dolorosamente consciente do padrão de vida que nos separava.

Com 12 anos, meus amigos ricos foram para as escolas privadas e continuei na pública, desta vez com os meninos da *Union School*.

Eu também não sabia que era desengonçado até que fui para a escola. Na adolescência, todas as garotas que eu queria namorar não se interessavam por mim. Eu não era descolado. As garotas populares estavam interessadas nos *bad boys*, que eram mais velhos, andavam em grupos e tinham carros possantes. Embora eu tivesse começado a jogar no time de futebol americano e fosse surfista, não era descolado, não era um *bad boy* e não possuía um carro. Eu era tímido, gordo e dirigia uma perua bege da família, definitivamente nada descolada.

Em 1974, quando eu estava saindo da Marinha, com 27 anos, sabia que queria ser rico, dirigir carros possantes e namorar belas garotas. Ainda que eu tivesse crescido, perdido minha cara rechonchuda de infância e me tornado mais forte, na minha cabeça eu ainda era o garoto tímido sem muito dinheiro. Eu sabia o que queria, mas não como chegar lá.

Eu sabia que queria ser um empresário e investir em imóveis, mas não tinha nem dinheiro nem o talento que julgava necessários. Quanto mais eu pensava a esse respeito e comparava a vida que queria com a que tinha, mais percebia que meus professores estavam corretos: eu era apenas *ediano*. Não tinha grandes talentos ou habilidades, nem era esperto. Se fosse para enriquecer, precisaria descobrir uma forma de estar no mínimo *acima* da média em cada aspecto de minha vida.

Não Viva Abaixo de Suas Possibilidades

Os consultores financeiros advertem as pessoas para *gastar menos do que ganham* e *diversificar*. Para muitas pessoas, isso soa como um conselho inteligente. O problema em segui-lo é que você acabará uma pessoa *medíocre*, porque esse é um conselho *medíocre*. Não é exatamente um mau conselho, mas é *medíocre*. Além disso, quem quer viver aquém de suas possibilidades?

No ensino médio, os estudantes começam a focar sua força acadêmica e fazer cursos mirando uma carreira futura bem-remunerada. As crianças são constantemente pressionadas a estudar muito e buscar boas notas. Após a graduação, muitos partem para as pós-graduações e os MBAs. Muitos médicos, após anos de exaustão na faculdade de medicina, partem para mais alguns anos de especializações.

A maioria de nós sabe que, para ser bem-sucedido na escola e ter carreiras bem-remuneradas, é preciso se concentrar e estudar muito, além de buscar especializações. Ainda assim, quando se trata de dinheiro, as pessoas são aconselhadas a *diversificar* e gastar menos do que ganham, em vez de se *especializar* e *viver em um padrão mais alto de vida*.

Quando saí da Marinha, eu não queria um emprego medíocre, ou viver abaixo das minhas possibilidades. Para mim, é assim que as pessoas medíocres vivem. Eu não queria dirigir um carro *mediano* nem viver em uma vizinhança *mediana*. Também sabia que *diversificar* faria com que o retorno dos meus investimentos ficasse *abaixo da média*. Eu sabia que precisava *focar* se quisesse um *padrão de vida mais alto*... semelhante ao de meus colegas que viviam do outro lado da ponte.

Quando olhei para o mundo para o qual eu estava prestes a voltar após quatro anos de escola militar e cinco de Marinha, percebi que a maioria das pessoas trabalhava muito para estar profissionalmente acima da *média*, mas acabava financeiramente abaixo da *média*.

Decidi que a melhor maneira de vencer os estudantes A, as crianças ricas, os professores que me chamavam de *mediano* e as garotas que não estavam interessadas em mim era me tornar rico. Não estava zangado com eles; apenas cansado de ser *medíocre*. Percebi que poderia me tornar mais rico do que a maioria das pessoas porque, quando se tratava de dinheiro, a maioria seguia estratégias e conselhos financeiros *abaixo da média*.

Por que os Especialistas Recomendam Diversificação?

Como diz Warren Buffett: "A *diversificação* é uma proteção contra a *ignorância*. Ela faz pouco sentido para aqueles que sabem o que estão fazendo." Buffett também comentou sobre os administradores financeiros: "Profissionais de outras áreas, digamos, dentistas, são importantes para as pessoas leigas. Mas as pessoas não extraem dos administradores profissionais de finanças benefício algum para o próprio dinheiro."

Quando muitos desses profissionais recomendam diversificação, creio eu, eles o fazem buscando proteger-se do próprio desconhecimento do mercado. Suspeito que Warren Buffett estivesse se referindo a conselhos financeiros *abaixo da média*, de especialistas *abaixo da média*, para investidores *abaixo da média*.

Warren Buffett adota uma estratégia financeira diferente. Ele não diversifica; foca. Procura por grandes empresas, de alto valor e bons preços. Não compra uma série de empresas e reza para que deem certo. Buffett não quer retornos médios nem especular com o mercado de capitais. Ele gosta de controlar as empresas, mas não de administrá-las. Quando Warren Buffett fala sobre investimento, suas palavras-chave são *valor intrínseco*, e não *diversificação*.

Os consultores financeiros recomendam diversificação porque não conseguem encontrar boas empresas, não têm controle sobre elas e a maioria sequer sabe como se administra um negócio. Eles são empregados, não empreendedores como Buffett.

Parece Diversificação — Mas Não É

Tenho dois colegas de classe que estudaram em Stanford, ambos com doutorado. Ambos têm empregos de altos salários — um trabalha para um grande banco e o outro, para uma empresa de petróleo. Depois da crise do mercado de capitais que se seguiu ao 11 de Setembro, ambos perderam muito dinheiro, ainda que estivessem diversificados. Ao longo dos anos, conversei com eles individualmente e perguntei sobre suas estratégias de investimento, e eles responderam: "Eu investia em uma carteira bem diversificada de renda fixa e de renda variável."

Embora não tivesse dito isso, gostaria de ter apontado que eles não estavam verdadeiramente diversificados. *Em vez disso, investiram 100% em ativos financeiros, principalmente no mercado de ações.* Não tinham investimentos em imóveis, não eram donos de negócio, nem de commodities como petróleo. Quando o mercado desmoronou, tudo desmoronou. Eles não estavam diversificados, mas achavam que estavam. Tinham um QI acadêmico *acima da média*, mas financeiro *abaixo*.

Encontre Suas Habilidades

De 1974 a 1984, construí e reconstruí diversos negócios. Estava determinado a me tornar um empreendedor. Exatamente como um bebê, que levanta e cai um sem-número de vezes antes de aprender a andar, levantei e caí muitas vezes antes de caminhar como um verdadeiro homem de negócios. Fiz isso porque queria me tornar um detentor de informações privilegiadas.

De 1984 a 1994, passei a ser um empresário da educação, porque me interessei em saber como as pessoas aprendiam. Embora não gostasse da escola, curtia aprender. Além disso, queria muito saber por que sempre me sentira meio estúpido em sala de aula. Durante 10 anos, Kim e eu construímos uma empresa de educação que ensinava sobre empreendedorismo e investimentos com escritórios na Austrália, Canadá, Nova Zelândia, Cingapura e Estados Unidos.

Nessa época, fiz as coisas de modo diferente, quase o oposto do que as escolas tradicionais ensinam. Em vez de criar um ambiente em que apenas um ou dois estudantes se sobressaíam, produzi um espaço em que *todos* pudessem se sentir capazes e aprender. Em vez de competir, os alunos cooperavam. Em vez de ter estudantes que me escutavam falar, criei jogos para ensinar assuntos específicos que, longe de serem maçantes, pediam participação ativa dos estudantes adultos, desafiados o tempo inteiro.

Desenvolvi um jogo de tabuleiro chamado CASHFLOW, o primeiro a ensinar contabilidade e investimento ao mesmo tempo. Como você sabe, contabilidade pode ser o assunto mais tedioso da face da Terra, e investimentos, o mais assustador. Quando estão combinados em um jogo, o aprendizado torna-se desafiador e divertido. A pessoa pode jogar mil vezes e ainda aprender algo novo. Lancei o jogo oficialmente em 1996.

À medida que eu aprendia mais sobre a mente humana e como ocorre o aprendizado, descobri diversas características perturbadoras sobre nosso sistema escolar. Uma delas é que nosso sistema atual de ensino, na verdade, danifica o desenvolvimento da mente infantil. Em outras palavras, até mesmo o estudante A pode ser podado pelo sistema educacional. Quanto mais eu estudava e praticava técnicas diferentes de ensino, mais compreendia as respostas que estava buscando; até que, finalmente, descobri por que eu era constantemente rotulado de estúpido ou, no máximo, *mediano*.

Várias Inteligências

Em minhas pesquisas, descobri um livro de Howard Gardner, *Inteligências Múltiplas: a Teoria na Prática*, no qual aprendi que existem sete inteligências:

1. Verbal-linguística
2. Numérica
3. Musical
4. Física
5. Espacial
6. Interpessoal
7. Intrapessoal

Seu livro validou o que eu intrinsecamente já sabia: que simplesmente as inteligências não eram reconhecidas pelo sistema escolar, que trabalha, predominantemente, com as inteligências verbal-linguística e numérica. Esta é uma das razões pelas quais repeti em inglês, minha língua nativa, duas vezes, no ensino médio. Eu não sabia escrever, soletrar ou pontuar. Eu não tinha inteligência verbal-linguística nem numérica.

Em meu primeiro ano na Academia da Marinha, língua inglesa tornou-se meu assunto predileto, porque tive um professor fantástico. Não fosse por ele, hoje talvez eu não escrevesse livros. Meu professor de inglês na Academia tinha grande habilidade interpessoal, razão pela qual pude me identificar com ele. Em vez de me repreender, ele me inspirava e eu o respeitava muito. Podíamos falar de pessoa para pessoa, e não de professor para estudante. Em sua classe, eu queria ser inteligente e queria aprender. Em vez de outra reprovação em inglês, recebi um B.

Preciso de Segurança

Mais tarde, como oficial no Vietnã, minha inteligência intrapessoal me manteve vivo. A inteligência intrapessoal é a habilidade de controlar suas emoções e completar seu trabalho, mesmo que seja de alto risco. Muitas pessoas não são bem-sucedidas financeiramente porque sua inteligência intrapessoal é deficiente. Com frequência, pessoas com inteligência intrapessoal limitada dizem: "Preciso de segurança no trabalho", ou, "Isso parece muito arriscado". Esses são exemplos das emoções controlando os pensamentos, e não de controle da inteligência intrapessoal.

Como estudei muito sobre Gardner e sua teoria das inteligências múltiplas, percebi que os estudantes A são aqueles que têm altas inteligências verbal-linguística e numérica. Ler, escrever e fazer cálculos eram atividades fáceis para eles, mas muito difíceis para mim. Eu lia e escrevia vagarosamente e gostava de matemática apenas quando estava medindo algo como meu barco ou, então, contando meu dinheiro. A força de minha inteligência era espacial, física e intrapessoal. Por isso, eu me dava mal, mesmo não me sentindo ameaçado quando os professores me diziam que eu *não conseguiria um bom emprego se não obtivesse boas notas.*

A essa altura, você talvez queira se perguntar em qual das sete inteligências é mais forte. Procure listá-las em ordem decrescente.

As Três Partes do Cérebro

Credita-se a Albert Einstein a seguinte frase: "A imaginação é mais importante do que o conhecimento." Como um empresário do conhecimento, fiz muitas pesquisas sobre as diferentes partes do cérebro. Colocando isso de forma excessivamente simplificada, temos as três partes básicas ilustradas a seguir.

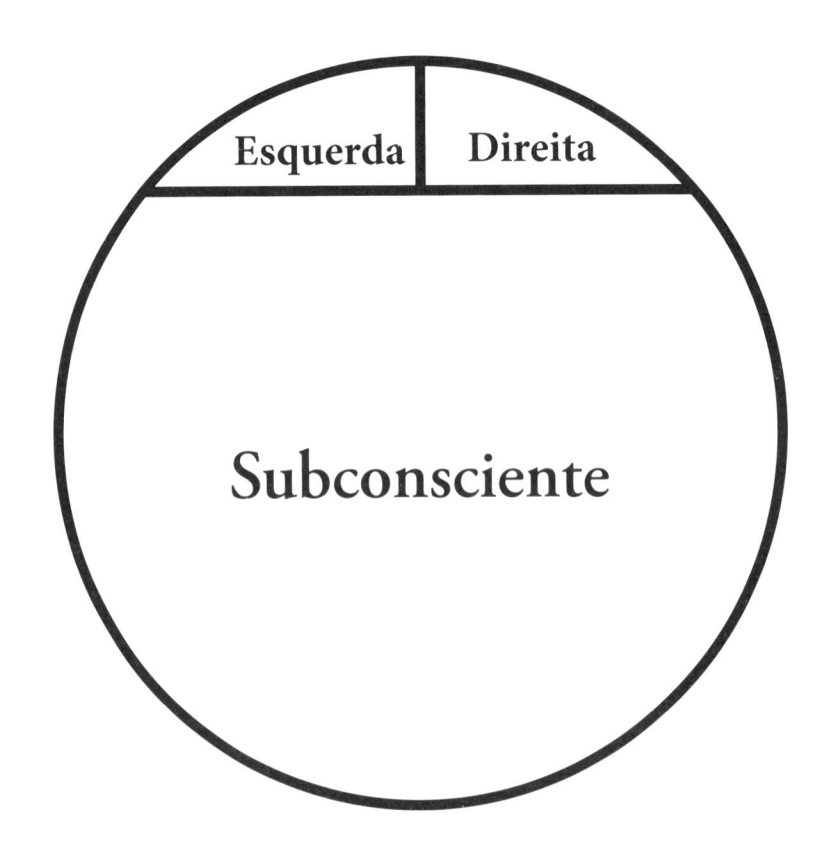

```
          Esquerda | Direita

              Subconsciente
```

1. Hemisfério Esquerdo. Em geral, esta parte do cérebro é usada para fala, escrita, leitura e lógica. Crianças que se dão bem na escola possuem este hemisfério muito desenvolvido. De acordo com o trabalho das múltiplas inteligências de Gardner, a parte esquerda do cérebro estaria mais associada às inteligências responsáveis por linguística, pensamento lógico-matemático e relacionamentos interpessoais. Boas profissões para essas pessoas: escritor, cientista, advogado, contador e professor.

2. Hemisfério Direito. Esta parte do cérebro é frequentemente associada a pintura, arte, música e outras áreas não lineares que usam a criatividade e a imaginação. As inteligências musical e espacial, de acordo com Gardner, estariam mais associadas ao hemisfério direito. As profissões para as pessoas com essas inteligências dominantes são desenhista, arquiteto e músico.

3. Subconsciente. Esta é a parte mais poderosa do cérebro porque inclui as pulsões frequentemente chamadas de *primitivas*. A parte primitiva do cérebro é a que mais se parece com o cérebro de um animal. Ela não pensa, mas reage, luta, foge ou paralisa. No trabalho de Gardner, a inteligência intrapessoal seria a que mais se relaciona com a mente subconsciente. Em minha opinião, é a inteligência intrapessoal de uma pessoa que, no final, determina se ela será um sucesso ou um fracasso na vida, no amor, na saúde e nas finanças. É por isso que a mente subconsciente é a parte mais poderosa do cérebro, especialmente em situações de pressão.

A mente subconsciente também afeta nossas ações corporais por meio da inteligência física. Por exemplo, no jogo de golfe, a pressão pode fazer com que o jogador paralise e perca a tacada, ainda que seja muito fácil.

Subconscientemente, a pessoa pode paralisar e nada fazer por medo de cometer um erro, ou ficar em um emprego por segurança, e não por amor ao trabalho. Pessoas com alta inteligência intrapessoal têm a habilidade de controlar o desejo do subconsciente, de lutar, fugir ou congelar. Em vez de fugir, podem decidir que o melhor a fazer é a estagnação. Se estiverem paralisados, podem escolher lutar. A questão é: têm a inteligência de escolher a resposta subconsciente apropriada. Se estiverem irritados, podem falar calmamente; se estiverem amedrontados, controlar seu medo.

As pessoas raciocinam diferentemente quando seu subconsciente é controlado pelo medo. Se as pessoas estiverem apavoradas, podem dizer: "Não posso fazer isso. E se eu falhar?" Ou ainda: "Isso é arriscado." Compare isso com uma pessoa que esteja em uma condição subconsciente de luta que poderá dizer: "Vou mostrar a eles. Conseguirei aquele contrato, apenas para mostrar que posso."

Aprender a escolher seu estado mental subconsciente, antes de pensar e de tomar decisões, é muito importante. Quando estava no Vietnã, eu me sentia melhor, voava melhor e estava mais confiante quando, subconscientemente, escolhia lutar.

Assim, escolha seu estado subconsciente antes de usar os hemisférios de seu cérebro. Muitas profissões que requerem controle intenso do estresse são mais adequadas a pessoas com forte inteligência intrapessoal. É o caso de policiais, médicos, enfermeiros, socorristas, bombeiros e soldados, que precisam de alta inteligência intrapessoal. Eu diria que os empresários também necessitam de um elevado nível desta inteligência.

Qual Parte do Cérebro Controla Suas Finanças?

Fiquei curioso sobre o funcionamento do cérebro porque queria saber a explicação para muitas pessoas dizerem uma coisa e fazerem outra. Por exemplo, às vezes pergunto às pessoas: "Você quer ser rico?" A maioria responderá, com base na lógica do hemisfério esquerdo de seu cérebro: "Sim, quero ser rico." O problema não está nesse hemisfério, mas sim no subconsciente, que diz: "Você não! Você nunca será rico!" Ou: "Como pode ser rico se não tem dinheiro?"

Na maioria dos casos, é o medo subconsciente de falhar que impede as pessoas de agir. É esse medo que os professores usam para motivar as pessoas na escola. Recordo-me de meus professores dizendo: "Se você não tirar boas notas, não conseguirá um bom emprego." Em algum momento, mais tarde na vida, quando os alunos A, que conseguiram os bons empregos, querem fazer alguma mudança em sua carreira, o medo os impede e os mantêm prisioneiros de uma situação.

Tenho um amigo que é um advogado brilhante, e foi um estudante exemplar em Harvard. Hoje, ele quer mudar de profissão, mas simplesmente não consegue. Teme fazer algo novo por medo de falhar, de não conseguir dinheiro suficiente. Costuma me dizer: "Tenho sido advogado por tanto tempo que não sei o que mais posso fazer. Quem irá me pagar tudo aquilo que ganho?" Meu amigo tem o hemisfério esquerdo do cérebro brilhante, o direito subdesenvolvido e o subconsciente fora de controle.

A mente subconsciente é tão poderosa que controla nossos vícios. Veja os fumantes, por exemplo: a maioria quer parar. Podemos explicar logicamente, para o hemisfério esquerdo do cérebro deles, todos os efeitos danosos do cigarro e, ainda, mostrar ao direito fotos horripilantes de câncer de pulmão. Mas, se o subconsciente quer fumar, a pessoa fuma. De muitas maneiras, o subconsciente controla sua vida, não importa se você é um estudante A ou F. Quando se trata de dinheiro, pode ocorrer, em muitas pessoas, uma intensa batalha mental interior. É esse conflito que induz as pessoas a viverem *abaixo de suas possibilidades* quando, na realidade, o que querem é melhorar *seu padrão de vida e ser ricas.*

Como professor de empreendimento e finanças, encontro muitas pessoas cultas, altamente diplomadas, que são viciadas em ser *pobres*. Algo em seu cérebro as mantém pobres. Em vez de transformar tudo o que tocam em ouro, tudo o que tocam acaba se transformando em chumbo.

A Batalha Mental

Como professor, a batalha mental aguçou minha curiosidade. Fiquei intrigado com o conflito entre a mente lógica e a ilógica. Percebi que a verdadeira educação não é simplesmente uma questão de ensinar a ler, escrever e memorizar respostas. Percebi que precisa alinhar o poder das três partes do cérebro para ser efetiva. Em vez de elas trabalharem uma contra a outra, precisam se unir. Se uma pessoa puder alinhar e desenvolvê-las, terá uma chance maior de sucesso no mundo real.

O problema com a educação tradicional é que ela foca apenas uma parte do cérebro, a esquerda. Em outras palavras, você pode ser um gênio do hemisfério esquerdo, mas um idiota no subconsciente. Você pode saber o que fazer com o hemisfério esquerdo, mas estar apavorado, no subconsciente, por ter que realmente fazê-lo. E o pior de tudo é que muitas pessoas saem da escola com capacidade de ler, escrever e fazer cálculos, mas completamente aterrorizadas com a possibilidade de fracasso. Então, no mundo real, procuram por segurança, e não por oportunidades. Ensina-se a essas pessoas o valor do conhecimento em detrimento da imaginação — prejudicando a habilidade de integrar as três partes do cérebro. Após anos de empenho para ser os melhores alunos, essas pessoas ouvem dos consultores financeiros, no mundo real, que devem *diversificar* e *gastar menos do que ganham.* Para um subconsciente temeroso, esse conselho soa inteligente e lógico. Então, por anos a fio, elas enviarão uma porção de seus salários aos especialistas financeiros, com a esperança de que ao menos eles saibam o que estão fazendo. Concomitantemente, o investidor mais rico do mundo, Warren Buffett, diz: "Diversificação é proteção contra a ignorância." E realmente é.

Um Mundo Governado por Hemisférios Esquerdos

O mundo é governado pelo hemisfério esquerdo das pessoas. O problema é que elas acham que só há um hemisfério e uma única inteligência. Muitas não têm consciência das outras partes do cérebro e da possibilidade de outros tipos de inteligência.

No mundo das finanças, essas pessoas acreditam que ganhar dinheiro é uma fórmula numérica, uma equação matemática.

Vença com o Cérebro Inteiro

Certa vez, Warren Buffett disse: "Você tem que pensar por si próprio. Sempre me intriga o fato de as pessoas de alto QI imitarem negligentemente as demais."

Como empresário da educação, comecei ensinando meus alunos a pensar *fora da caixa* e a criar, em vez de imitar. Fiquei surpreso ao perceber o quão assustador era esse processo de ensino para muitos dos meus alunos. A maioria fora induzida pelo medo a necessitar de segurança no trabalho, a buscar uma fórmula mágica para investir e a evitar erros. Romper os laços desse medo foi a parte mais difícil do meu trabalho. Essas pessoas eram inteligentes, bem-sucedidas e cultas, e queriam fazer mudanças. Não eram pobres, fracassadas ou sem educação formal.

Meu trabalho como professor foi mostrar-lhes como usar sua inteligência e as três partes de seu cérebro para vencer financeiramente. Eu chamava meus programas de negócios de "Vença com o Cérebro Inteiro". Para chamar a atenção das pessoas, eu dizia com frequência: "Estudantes A trabalham para C, e os B, para o governo." Obviamente, isso não agradava os estudantes A, mas eles superavam isso quando eu explicava a lógica que estava por trás de minhas descobertas.

O Dialeto dos Pobres e da Classe Média

Recentemente, os neurocientistas descobriram que o cérebro tem neurônios especializados em imitar, são os chamados neurônios-espelho. Muitos desses cientistas acreditam que esta descoberta é mais importante do que a do DNA. O neurônio-espelho, em termos excessivamente simples, é como um macaco imitando o outro. Ou seja, nosso cérebro é programado para imitar o que vemos os outros fazerem. Isso explica por que administradores de fundos investem nas mesmas ações, por que pessoas pobres continuam pobres — mesmo após receber muito dinheiro — e por que uma criança criada na Inglaterra falará inglês com sotaque diferente de uma nascida nos Estados Unidos ou na Austrália.

Os neurônios-espelho do sotaque e dos dialetos limitam o escopo de mundo e as pessoas com as quais nos associamos. Muitas crianças passam por dificuldades quando saem do Havaí porque seu dialeto é o *pidgin*, uma mistura de havaiano com inglês. Muitas das crianças da *Union School* falavam pidgin, já as do *Riverside* eram proibidas de falar esse dialeto. Acredito que isso tenha feito uma tremenda diferença em minha vida e foi a razão pela qual fui para Nova York, e não para a Universidade do Havaí.

No mundo dos negócios e dos investimentos, as pessoas pobres falam o dialeto dos pobres. Em vez de usar a linguagem dos negócios e dos investimentos, dizem coisas como: "Programas de governo, bolsa-família e previdência social." Já a classe média tem um dialeto diferente. Eles dizem: "Diversifique e gaste menos do que ganha." Buffett, o investidor mais rico do mundo, costuma dizer: "Não é que eu simplesmente queira dinheiro; é o prazer de fazer dinheiro e vê-lo crescer." Esse é um exemplo de dialetos específicos refletindo neurônios-espelho diferentes.

Cada grupo fala um dialeto particular. Da mesma maneira, as pessoas ricas falam um dialeto típico. É uma questão de hemisférios e neurônios-espelho diferentes. Foi por isso que cruzar a ponte aos 9 anos foi crucial para mudar minha vida e é a razão pela qual não *diversifico* nem *vivo abaixo das minhas possibilidades*. É por isso que mesmo quando estava falido eu não dirigia carros populares, não usava roupas baratas, nem morava em bairros de baixa renda. É uma questão de neurônios-espelho e de padrão de vida.

Hoje, os neurocientistas acreditam que os neurônios-espelho representam a parte mais poderosa do aprendizado de nosso cérebro. Na sala de aula, isso explica por que alguns estudantes são os favoritos dos professores. Como a maioria das salas de aula é liderada pelo hemisfério esquerdo das pessoas, elas tendem a favorecer as crianças com as mesmas inteligências. Por outro lado, esses professores tendem a não gostar das crianças artísticas, musicais, criativas, atletas ou que não sejam facilmente intimidadas. Quando chega a hora da faculdade, a maioria das crianças que não têm inteligência verbal-linguística e numérica já desistiu. Elas foram rotuladas e eliminadas. Infelizmente, as crianças que são eliminadas frequentemente saem da escola sentindo-se estúpidas.

Imagine se isso acontecer com você ainda na infância. Como esse rótulo afetará o resto de sua vida?

Em um experimento conduzido por Robert Rosenthal, professor de Harvard, e por Lenore Jacobson, em 1976, foi dito a professores participantes que certas crianças em suas salas eram gênios, embora não fossem. Em quase todos os casos, essas crianças receberam notas excepcionalmente altas. Em outras palavras, os pesquisadores descobriram que o que mais influenciava o aprendizado da criança era a percepção do professor sobre sua inteligência. No mundo dos investimentos, isso é chamado de *viés*; nas relações raciais, é conhecido como *preconceito*. Esse é um exemplo do impacto dos neurônios-espelho.

Em termos simples, os neurônios-espelho significam que nosso cérebro é como os transmissores e receptores de televisão. Ainda que não estejamos fisicamente falando uns com os outros, nosso cérebro está se comunicando em níveis muito profundos. Por exemplo, quando entramos em uma sala, a maioria de nós pode imediatamente perceber quem gosta de nós e quem não gosta, ainda que nada seja dito. A pior parte é que aprendi que, se não me sinto bem comigo mesmo, as pessoas não se sentirão bem comigo. Em muitos casos, a outra pessoa apenas manda de volta a sensação que transmiti. Em outras palavras, se acho que sou um fracassado, as outras pessoas pensarão exatamente o mesmo.

A boa notícia é que podemos mudar a percepção que os outros têm de nós, alterando a percepção que temos de nós mesmos. Isso pode ser feito por meio da adaptação de nossos neurônios-espelho. Não é fácil, mas é possível. Por exemplo, se eu não tivesse alterado minha autopercepção, nunca teria encontrado e me casado com uma mulher linda como Kim; alguém como Donald Trump não seria meu amigo e eu não teria independência financeira hoje. Se eu não tivesse mudado conscientemente minha autopercepção, provavelmente ainda seria a mesma criança tímida, gorda, pobre e estaria falando inglês *pidgin*. Ainda que eu tivesse me graduado em uma escola muito boa, saí sem me sentir inteligente, achando que havia pessoas com as quais eu nunca me compararia. Eu sempre seria *mediano*.

Sempre que fazia uma entrevista de emprego, a primeira pergunta que me faziam era em qual escola eu estudara e se tinha um diploma de mestrado, com o qual teria melhores chances de ser contratado. Mesmo que eu estivesse no mundo dos negócios, ainda me sentia na sala de aula, em um mundo dominado pela inteligência do hemisfério esquerdo. Em 1974, quando trabalhava na Xerox, tendo prometido à empresa que eu faria meu MBA, comecei a pesquisar o cérebro e as diferentes formas de aprender e ensinar. Eu procurava uma maneira de vencer com meus próprios termos, não com os deles.

Por ter sido criado em uma família de professores, percebi que a medida de sucesso para eles eram a escola que a pessoa frequentava e a quantidade de diplomas que tinha. No mundo dos grandes negócios, era exatamente igual. Na maioria das grandes corporações, os empregadores querem o *pedigree* do prestígio que vem junto com o diploma das escolas de primeira linha. No mundo dos grandes negócios, a escola que frequentou pode lhe dar os melhores empregos, cargos e salários. Esta é a medida do sucesso.

No convívio com meu pai rico, percebi que sua medida de sucesso eram quanto dinheiro ganhava, com quais pessoas convivia, a liberdade de trabalhar ou não e a quantidade de empregos que podia gerar. Logo reparei que era melhor decidir rapidamente qual a medida de sucesso que eu queria para basear minha vida. Como eu achava que não poderia vencer no jogo do meu pai pobre, ou seja, boas escolas e bons empregos em grandes corporações, decidi que teria uma chance melhor de ganhar no jogo do meu pai rico. Foi quando minha verdadeira educação começou.

Decidi seguir os passos do meu pai rico, como empreendedor e investidor do mercado imobiliário. Eu sabia que teria melhores chances nestas áreas, porque a maioria dos estudantes A está empregada e investe em ativos financeiros. Como eu era um estudante C, percebi que precisava usar as três partes do meu cérebro, e não apenas o hemisfério esquerdo, se quisesse vencer.

As questões para você são:

- Qual é sua medida de sucesso?
- Onde tem a melhor chance de vencer?
- Seu cérebro está treinado para vencer?
- As partes de seu cérebro trabalham em conjunto ou contra você?

Duas Desvantagens

Ao longo dos anos, descobri que existem duas desvantagens para as pessoas em relação ao dinheiro. São elas:

1. Nossas Escolas Não Ensinam sobre Dinheiro. Mesmo os estudantes A deixam as escolas sabendo muito pouco sobre dinheiro. Além disso, por meio da descoberta científica recente dos neurônios-espelho, a maioria de nós aprende sobre dinheiro com pessoas que não são financeiramente inteligentes. É por isso que muitas pessoas acabam tendo aspirações de classe média; isto é, viver dentro de suas possibilidades, poupar dinheiro e manter-se longe das dívidas.

2. Nossas Escolas Não Fortalecem o Subconsciente. Na verdade, em vez de educar, elas dependem do medo para motivar, ameaçam em vez de ensinar, imitam em vez de inovar, punem erros em vez de encorajar iniciativas; realçam a segurança, e não a expansão do pensamento, e dizem aquilo que a pessoa quer ouvir, e não o que a pessoa precisa ouvir.

Devido a esses fatores, as pessoas *compram* quando deviam *vender*, *poupam* quando deviam *gastar*, *gastam* quando deviam *poupar*, *amedrontam-se* quando deviam ter *coragem* e são *corajosas* quando deviam *sentir medo*.

O subconsciente acha que é inteligente. O problema é que ele pode ser seu maior amigo ou pior inimigo. É preciso uma pessoa com inteligência superior para retroceder e objetivamente determinar qual é a parte do cérebro que fala — a amiga ou a inimiga. Quando se trata de assuntos altamente passionais como dinheiro, sexo, religião e política, é necessário ter um intelecto evoluído para ser capaz de se desprender e se expandir, de escutar objetivamente e, então, pensar com clareza com ambos os hemisférios, esquerdo e direito.

Veja a seguir alguns exemplos desses comportamentos descontrolados, irracionais e financeiramente tolos do subconsciente:

1. Quando as pessoas reagem em massa, movidas pelo pânico e piorando ainda mais certas crises do mercado, o pânico vem do subconsciente. Copiar — ou mimetizar — advém do receio de ser diferente, então as pessoas fazem a mesma coisa, em vez de ser criativas ou arriscar pensar de outra maneira, que difere das demais.

2. Quando recebem um aumento ou algum tipo de dinheiro inesperado, as pessoas frequentemente gastam mais porque se sentem bem, em vez de liquidar suas dívidas. Eu soube de um homem que recebeu US$1 milhão de herança de seus pais. Imediatamente comprou uma casa enorme e dois carros novos, inclusive usando crédito. Em vez de largar

as dívidas ruins, endividou-se ainda mais. Hoje, ele está sem dinheiro, tentando ao menos salvar a casa.

3. Quando a economia desacelera, o "Departamento de Prevenção de Vendas" de muitas empresas assume o controle. Quando as vendas caem, a maioria das empresas corta os custos com propaganda e marketing, com promoções e vendedores. Em vez de *poupar*, em situações assim a empresa precisa *gastar*. Em uma economia ruim, as empresas precisam gastar ainda mais com propaganda e promoções, contratar ainda mais vendedores, oferecer maiores incentivos de vendas e ser mais criativas. Mas, no lugar do Departamento de Expansão de Vendas, é o Departamento de Prevenção de Vendas que costuma assumir o controle. Quem lidera o Departamento de Prevenção são as pessoas que usam primordialmente o hemisfério esquerdo do cérebro, como contadores, advogados e empregados assalariados; pessoas geralmente com o hemisfério esquerdo do cérebro forte, mas o subconsciente aterrorizado. Quando essas pessoas assumem, muitas outras perdem seus empregos. Em minha opinião, quando os tempos são difíceis, é no Departamento de Prevenção de Vendas que deveria ocorrer uma redução do número de empregados.

O problema com o subconsciente é que ele é *reativo*, não é inteligente e não é capaz de pesar prós e contras.

Argumentando com um Idiota

É impossível conversar usando a lógica para argumentar com uma pessoa que esteja usando apenas o subconsciente. Esta parte do cérebro não é lógica, não pensa, apenas *reage*. O problema é o seguinte: quando alguém se expressa usando o subconsciente, ainda pensa que está sendo lógico e racional. Por exemplo, quando sugiro que um empreendedor gaste em vez de poupar durante um período de recessão, na maioria das vezes o subconsciente assume e dá ao empreendedor as razões lógicas pelas quais ele deve cortar despesas, despedir empregados e entrar no *modus operandi* de poupar. Para a maioria dos empresários, isso é lógico e inteligente. Eles nem pensam em aprender mais. Suas decisões estão tomadas, o cérebro está bloqueado para novas ideias.

Se você insistir, a mente se torna defensiva. Se a muralha da defesa se formar, em vez de fugir, eles querem lutar. Querem defender suas decisões e mostrar que estão certos. Em vez de aprender, tornam-se idiotas. O problema em argumentar com um idiota é que rapidamente são dois idiotas a discutir: você e o outro.

Os pobres se mantêm pobres por terem uma mente subconsciente pobre. Quando falo com pessoas que enfrentam desafios financeiros, muitas defendem seu direito de ser pobre. Elas dizem coisas como: "Prefiro ser feliz a ser rico", ou então, "Você precisa trapacear para enriquecer". Se você argumenta com eles, em uma tentativa de abrir sua mente a novas ideias, seu subconsciente fecha-se ainda mais, em autojustificativa, e em breve são dois idiotas em uma discussão acalorada.

Situação similar ocorre com muitos empregados e altos executivos que gostam de seu trabalho, mas na verdade desejariam fazer outra coisa. Em vez de fazerem o que querem, sua mente subconsciente aparece com razões lógicas e coerentes da razão pela qual não deveriam fazê-lo. Quando são informados sobre os altos impostos que estão pagando na condição de empregados altamente remunerados, eles replicam: "Bem, todos temos que pagar impostos." Quando pressionados e informados sobre investimentos melhores, com maiores retornos e menos impostos, rebatem: "Isso parece arriscado." Eles fecham sua mente a novas possibilidades porque sentem medo. Se você argumenta, novamente aparecem os *dois idiotas*.

Para Mudar Sua Vida... Mude de Ambiente

Em minhas pesquisas sobre educação e formas de aprendizagem, tornou-se claro que o *ambiente* é o mais poderoso de todos os professores. É por isso que a recente confirmação da existência dos neurônios-espelho é tão importante. A ciência está, afinal, descobrindo aquilo que muitos de nós já sabemos: para mudar sua vida, é preciso primeiro mudar seu ambiente.

A maioria de nós sabe que, se quiser perder peso, terá maior chance de sucesso se for à academia, e não a um restaurante. Se quisermos estudar com mais concentração, provavelmente é melhor estar em uma biblioteca silenciosa do que tentar estudar dirigindo um carro (coisa que já vi algumas pessoas fazendo). Se quisermos relaxar, saímos do trabalho e vamos para a praia ou para a montanha.

E se você quer enriquecer, precisa encontrar um ambiente que contribua para isso e fortaleça as três partes do cérebro. Ironicamente, trabalho e escola não são ambientes propícios para a maioria das pessoas.

O Poder do Ambiente

Se quiser ficar mais rico e ser mais bem-sucedido, é fundamental encontrar um ambiente que permita a expansão de sua mente e onde tenha o tempo necessário para se desenvolver.

Em 1974, percebi que nunca seria contratado para trabalhar para um estudante A. Um médico ou um advogado, por exemplo, nunca me contratariam, porque eles precisam de pessoas inteligentes acadêmica e profissionalmente. Um médico não quer uma enfermeira atrapalhada nem um advogado, um assistente incompetente.

Como eu era um estudante C, precisava encontrar um jeito de ter um estudante A trabalhando para mim. Foi quando decidi ser igual ao meu pai rico, e não ao meu pai pobre. Como meu pai rico, tornei-me empresário e investidor do mercado imobiliário, e não como meu pai pobre, que foi um estudante A. Resolvi me tornar um empresário porque aprendo muito lentamente e sabia que precisaria de tempo para me desenvolver. Eu não estava procurando formas de enriquecer rapidamente, mas sim um ambiente que combinasse com a lentidão de minha capacidade de aprender.

Outra razão importante para eu me tornar um empreendedor foi a possibilidade que tive de me cercar de pessoas competentes. Sei que não sou bom em linguística ou matemática; desse modo, precisava de pessoas assim para compor minha equipe. Ainda sou um escritor *mediano*, continuo *mediano* em matemática e sou terrível com detalhes. Quando se tratava de esportes, eu sabia que era muito melhor nos de equipe, como futebol, rúgbi e remo. Não sou muito bom em esportes individuais como golfe ou tênis. Sabendo disso, parecia lógico que eu deveria me cercar de pessoas competentes e que também gostassem de pertencer a uma equipe.

Descobri da pior maneira que muitas pessoas inteligentes não trabalham bem em equipe, razão pela qual elas se saem muito bem na escola, fazendo as próprias provas. No meu mundo dos negócios, sou testado diariamente, mas não como um indivíduo. Faço testes juntamente com um time de pessoas preparadas e inteligentes. Em outras palavras, minhas habilidades vêm de uma equipe. A questão é: você atua melhor como indivíduo ou quando está em equipe?

Faça do Seu Jeito

Isso não significa que você deva ser empresário ou proprietário de imóveis. Não lhe digo que deva fazer o que faço. O que digo é que você talvez deva considerar um ambiente em que a aprendizagem seja facilitada para, assim, melhorar suas chances de vencer financeiramente. Encontre o próprio lugar e a própria maneira de ser bem-sucedido. Se quiser se tornar um jogador profissional de golfe, então precisa, obviamente, despender muito tempo nos campos de golfe engajando os neurônios-espelho de seu cérebro no aprendizado com os melhores profissionais que puder encontrar.

A descoberta dos neurônios-espelho foi tão importante para mim porque, desde 1974, despendi a maior parte do tempo com grandes empresários e investidores imobiliários. Eu estava constantemente procurando oportunidades para fazer negócios com essas pessoas. Por isso, escrever um livro com Donald Trump, em 2006, foi tão fundamental para mim. Mais do que o livro, foi a oportunidade de aprender pelos neurônios-espelho ao despender meu tempo com um grande homem. Com Trump, elevei minhas perspectivas de negócios e de padrão de vida a um novo patamar — foi quase como cruzar a ponte para a casa de meus amigos quando eu tinha 9 anos.

Encontrando o Ambiente Certo

Hoje, muitas escolas de negócios me chamam para falar em suas classes de empreendedorismo. Uma pergunta que sempre é feita pelos alunos refere-se ao QI #1: "Como encontro investidores?" Ou: "Como levanto capital?"

Compreendo bem esta questão porque foi algo que me assombrou quando deixei a segurança da Xerox para me tornar empreendedor. Eu não tinha dinheiro e ninguém queria investir em mim. Os grandes capitalistas de riscos não batiam à minha porta.

Minha resposta para os estudantes é: "Simplesmente faça. Você faz porque tem que fazer. Se você não fizer, então estará fora. Hoje, ainda que eu tenha dinheiro suficiente, tudo que faço é levantar capital. Isso é tudo que meu amigo

Donald Trump faz. Levantar capital é o trabalho dele. Esse é o trabalho principal de qualquer empresário. Como empresários, levantamos capital de três grupos de pessoas: clientes, investidores e empregados. Como empresário, seu trabalho é fazer com que seus clientes comprem seus produtos. Se conseguir que seus clientes os comprem, seus investidores lhe darão muito dinheiro. E se você tem empregados, seu trabalho é fazer com que produzam e lhe deem um lucro dez vezes maior que o salário que paga a eles. Se não conseguir fazer com que seus empregados produzam dez vezes mais do que paga a eles, então estará fora do negócio, e se você estiver fora, não precisa mais levantar dinheiro algum."

Obviamente esta não é a resposta que a maioria dos MBAs espera. Eles buscam a fórmula mágica, a receita secreta de bolo, os planos de riqueza instantânea. Muitos professores se contorcem com essas perguntas porque não são empreendedores, embora ensinem empreendedorismo. A maioria ainda precisa de um emprego fixo, com salário estável e a possibilidade de se aposentar. Mais uma vez, é o efeito dos neurônios-espelho, que não concordam com pensamentos opostos, os quais, por sua vez, causam essa agonia. Por isso, muitas escolas de negócios preferem levar presidentes de grandes corporações para falar, pessoas que são empregadas, não empresárias.

Os Olhos São o Espelho da Alma

Enquanto compartilho meus pontos de vista sobre como levantar capital, costumo observar os olhos dos alunos. Em 70% a 90%, vejo medo. Os olhos ficam vidrados e a respiração, superficial. O sangue flui do lado esquerdo do cérebro para o direito e dali para o primitivo, a parte mais antiga do subconsciente. Em oposição, cerca de 10% da sala, em burburinho, sorri. Eles gostam da minha resposta. Seus olhos ficam mais brilhantes e o entusiasmo torna-se evidente. Eles sabem que podem vencer e superar seus colegas de classe. Sabem que podem se transformar em empresários e, apesar de um ambiente em que o medo do fracasso viceja, as três partes de seu cérebro estão, naquele momento, deflagrando o alinhamento.

O Cone de Aprendizagem

Em 2005, a Universidade do Estado do Arizona fez um estudo sobre a viabilidade do meu jogo, ensinando contabilidade e investimento a estudantes de administração. Os resultados foram extremamente favoráveis e positivos, concluindo que os estudantes, na verdade, aprenderam mais rápido e retiveram conhecimento por mais tempo do que quando aprendiam de outras formas.

A universidade também me apresentou ao Cone de Aprendizagem, ilustrado na figura a seguir:

Cone de Aprendizagem

Depois de duas semanas, tendemos a nos lembrar de		Natureza do envolvimento
90% do que dizemos e fazemos	Colocando em Prática	Ativa
	Simulando a Experiência Real	
	Fazendo uma experiência dramática ativa	
70% do que dizemos	Conversando	
	Participando de um Debate	
50% do que ouvimos e vemos	Presenciando uma atividade	Passiva
	Assistindo a uma Demonstração	
	Assistindo a uma apresentação	
	Assistindo a um Filme	
30% do que vemos	Olhando Fotos	
20% do que ouvimos	Ouvindo	
10% do que lemos	Lendo	

Fonte: Cone de Aprendizagem adaptado de Dale, (1969).

A Segunda Melhor Maneira de Aprender

Como você pode apreender pelo gráfico, a pior maneira de aprender é ler e a segunda, assistir a uma aula ou uma palestra — as maneiras mais populares de ensinar nas escolas tradicionais. No topo do cone, está "colocando em prática". Quando eu disse aos alunos do MBA para simplesmente sair e fazer, muitos congelaram. Obviamente, há um hiato entre ler, falar e sobreviver no mundo real.

O estudo da Universidade do Estado do Arizona apontou que logo abaixo da vida real estão as simulações e os jogos. O estudo confirmou o Cone de Aprendizagem e que nosso jogo *CASHFLOW*® era a segunda melhor maneira de aprender sobre contabilidade e investimentos utilizando a lógica do hemisfério esquerdo combinada com a criatividade do direito. Em vez de ser subconscientemente amedrontador, aprender foi divertido e motivador. Os estudantes se sentiram mais autoconfiantes, ansiosos por aprender e mais capazes de usar o que haviam aprendido.

As descobertas da universidade foram condizentes com minhas próprias descobertas como empresário da educação. Descobri que, ao focar a quarta inteligência de Howard Gardner — a física —, os estudantes aprendiam mais e mais rápido, divertiam-se e retinham a informação por mais tempo. Em vez de falar apenas, jogávamos jogos diferentes para observar novos ângulos. Eu os encorajava a jogar e a cometer erros, e depois comentávamos os resultados.

O aprendizado era poderoso porque os jogos envolviam as três partes do cérebro. Muitas vezes, os participantes ficavam zangados, aborrecidos ou entristecidos. Não gostavam dos erros que cometiam. Alguns culpavam o jogo ou outros participantes. Essas emoções são parte do processo de aprendizagem, tanto em aulas quanto na prática. Meu trabalho como instrutor era afastar os participantes da culpa e das emoções e mergulhar na lição que o jogo ensinava.

Quando os participantes tiravam suas lições pessoais do tabuleiro, alguns caíam na gargalhada, dizendo: "Não percebi que fazia o mesmo na vida real." Quando há cognição, uma relação entre comportamento no jogo e no mundo real, os participantes têm a oportunidade de fazer mudanças se quiserem. Naquele momento da cognição, o momento do "Eureka!", as três partes do cérebro trabalham juntas. Uma vez que isso ocorra, o participante está frequentemente aberto para aprender ainda mais e crescer.

Mude Seu Ambiente... Mude Sua Vida

Como um empresário da educação, tornou-se nítido para mim que o *ambiente* era o mais poderoso dos professores. Percebi que podia ensinar e informar, mas, se o participante voltasse ao ambiente anterior, diminuía o efeito daquilo que eu lhe havia ensinado. Em outras palavras, se uma pessoa voltasse para o trabalho em que os erros eram punidos e a criatividade, suprimida, o que eu havia ensinado tinha pouco valor. O ambiente antigo venceria!

Há um velho ditado que diz: "Se eu soubesse onde vou morrer, não iria para lá." Hoje, sei que há milhões de pessoas em ambientes que não são os melhores para o aprendizado, para a saúde e o desenvolvimento pessoal. Em vez de se tornar mais ricas, ficam prisioneiras de seus escritórios e de suas casas. Em vez de procurar o sucesso, a maioria vive em ambientes que recompensam a mediocridade, a ausência de erros. Como disse Tudor Jones: "As pessoas aprendem com os erros, não com os sucessos."

Encontrando Suas Habilidades

Para as pessoas desenvolverem seus talentos, precisam encontrar o ambiente que apoiará o desenvolvimento de suas habilidades. O ambiente de Tiger Woods, por exemplo, é o campo de golfe. Ele não teria se saído bem se fosse jóquei. Donald Trump encontrou sua força no complicado e difícil mundo imobiliário de Nova York. Aquele ambiente o desafiou, ensinou-lhe muita coisa e permitiu que desenvolvesse seus talentos.

Não é um processo fácil. Como você provavelmente sabe, Tiger Woods trabalha arduamente para ser o gênio do golfe que é. O mesmo acontece com Donald Trump, que trabalha muito para ser um gênio do mercado imobiliário. Se já viu os prédios que Trump constrói em Manhattan, ou ao redor do mundo, entende seu dinamismo. Oprah sobrevive e floresce no árduo ambiente da televisão.

Muitas pessoas não desenvolvem seus talentos por preguiça. Muitas vão ao trabalho simplesmente para conseguir um pagamento no fim do mês. É mais fácil para elas ser *medíocres* do que trabalhar arduamente para desenvolver suas habilidades.

Minha pergunta é: "Qual talento você acha que possui e qual é o melhor ambiente para desenvolvê-lo?" Outra questão importante: "Você tem coragem de mudar seu ambiente?" Tente imaginar seu futuro se fizer esta mudança.

Para muitas pessoas, a resposta a essas questões é: "Eu não sei", ou simplesmente, "Não". Para a maioria das pessoas, estar confortável é mais importante do que descobrir e desenvolver seus talentos. É muito mais fácil ser mediano, trabalhar com afinco, receber um salário, poupar algum dinheiro, diversificar em fundos de investimentos e viver dentro de suas possibilidades. Se você é assim, continue fazendo o que vem fazendo.

Cada um de nós é diferente. Todos nós temos forças e fraquezas. É por isso que não recomendo que todos façam o que fiz. Ainda que seja muito fácil ser um empreendedor, sei bem que ser um empreendedor rico não é fácil. O mundo está cheio de empreendedores *medianos*. O mesmo é verdadeiro para o mercado imobiliário. O mundo está cheio de investidores desse mercado que não fazem muito dinheiro.

Meu ponto é: todos nós temos um talento ou uma habilidade única. Se as pessoas querem se tornar ricas, talvez até super-ricas, precisam encontrar um ambiente que permita que suas habilidades sejam desenvolvidas e aplicadas. Isso não é fácil, mas pode ser feito se você se dedicar e tiver garra para vencer. No mundo real, dedicação e garra são mais valiosas do que boas notas.

Ambientes que Tornam Você Rico

Se quiser ser mais rico, é importante procurar, continuamente, elevar o nível de seu ambiente. É por isso que discordo cada vez que algum especialista recomenda viver dentro das possibilidades. Ao seguir tal conselho, você viverá em um ambiente limitado. Cada vez que, ainda garoto, eu cruzava a ponte para a casa de meus amigos, meu cérebro absorvia o que era viver em um padrão de vida diferente — que eu queria para mim. Meu cérebro buscava formas de conseguir tal estilo de vida.

Isso não significa sair correndo para comprar uma casa enorme, carros possantes, roupas novas e acumular pilhas de dívidas. O que quero dizer é que você deve constantemente se desafiar, de maneira inteligente e consciente, a buscar melhorias em seu padrão de vida; desenvolvendo, desta forma, sua inteligência financeira.

A melhor maneira de aumentar sua inteligência financeira é encontrar, antes de tudo, o ambiente que favorecerá o crescimento e o desenvolvimento de suas habilidades. Isso pode ser tão simples quanto ir à biblioteca ou ler um livro escrito por alguém que você admira ou folhear revistas com fotos de casas suntuosas. O primeiro passo é, conscientemente, estimular seus neurônios-espelho para o padrão de vida que quer e para as pessoas às quais deseja se igualar.

Resumo

As pessoas que tendem a não desenvolver sua inteligência são financeiramente fracas. Procuram por ambientes e respostas fáceis. São as pessoas facilmente manipuladas, que pagam muitos impostos, trabalham arduamente e vivem abaixo de suas possibilidades. Elas podem ser boas pessoas, inteligentes, academicamente evoluídas, mas, sem o desenvolvimento financeiro das três partes de seu cérebro, o mais provável é que se mantenham financeiramente fracas.

O sucesso requer certo grau de firmeza mental e física. Se puder treinar o hemisfério esquerdo de seu cérebro para entender o assunto, engajar o direito para buscar soluções criativas, manter o subconsciente estimulado em vez de amedrontado e, então, finalmente, agir com a disposição de cometer erros e aprender, será capaz de fazer coisas mágicas e, afinal, desenvolver suas habilidades e talentos.

Capítulo 10

Desenvolva Sua Inteligência Financeira
Algumas Aplicações Práticas

Este livro é sobre desenvolver a inteligência financeira e incrementar os QIs financeiros. Como escrevi anteriormente, você precisa da completude de todos os cinco QIs para ter sucesso e enriquecer. Sei que é mais fácil falar do que fazer. Desenvolver os cinco QIs é um processo longo, que não pode ser conquistado em poucos dias ou em apenas um ano. Trabalho continuamente no desenvolvimento de minhas inteligências e encorajo você a fazer o mesmo. Este capítulo fornecerá algumas ideias práticas para aguçar sua inteligência financeira.

Muitos especialistas em finanças recomendam investir em longo prazo. A maioria quer, na realidade, que você entregue a eles seu dinheiro para que possam ganhar comissões. O problema com esse tipo de conselho é que você não aprende muito, se é que aprende algo. Ao final do longo prazo, você não desenvolveu sua inteligência financeira. Além do mais, a maioria dos investidores de longo prazo aplica em investimentos de alto risco que oferecem baixo retorno e pouco controle.

Em vez de seguir cegamente os conselhos dos consultores financeiros, você deve considerar investir em *cenários transicionais* que, em longo prazo, fortalecem todas as três partes de seu cérebro e oferecem oportunidades de estimular sua inteligência financeira. Alguns exemplos desses cenários são:

1. Escola. A escola é um ambiente de transição para muitas pessoas. Assistir às aulas é uma excelente forma de melhorar as funções dos hemisférios direito e esquerdo do cérebro. O problema com as escolas tradicionais é que não são um bom ambiente para desenvolver o subconsciente, a parte mais poderosa de sua mente. A maioria das escolas tradicionais magnifica os neurônios-espelho do medo de falhar e do medo de cometer erros.

2. Igreja. Tenho notado que existem dois tipos de igrejas: aquelas que ensinam o *amor* a Deus e as que ensinam o *medo* de Deus. Não sei o quão efetivo pode ser *temer* a Deus, ainda assim creio que a igreja seja um excelente lugar para encontrar força espiritual, o que, por sua vez, fortalece o subconsciente. Espera-se que, com maior força espiritual, a pessoa seja capaz de mostrar-se mais generosa e que tenha ética e moral.

3. Forças Armadas. A Marinha foi um ambiente fantástico para que eu desenvolvesse as três partes de meu cérebro. Como piloto, precisei de todas elas e de todas as sete inteligências, até mesmo a musical. Com frequência, tocávamos rock para levantar o moral enquanto voávamos em direção à zona de combate. Hoje, acredito ser melhor como empreendedor, especialmente quando perco dinheiro, porque aprendi a aperfeiçoar continuamente minha inteligência intrapessoal e a manter meus medos sob controle.

4. Marketing de Rede. Muitas empresas de marketing de rede são ambientes incríveis de aprendizado porque oferecem treinamento, apoio, estrutura de negócios e de produtos — assim, você pode se concentrar em desenvolver suas habilidades de venda e construir o próprio negócio. Recomendo a qualquer pessoa que queira ser um empresário que se junte a uma empresa desse tipo para um dos melhores treinamentos em negócios. Essas empresas focam o desenvolvimento das três partes do cérebro, especialmente, no fortalecimento do subconsciente.

5. Negócios. Existem basicamente duas espécies de empresas... grandes e pequenas. Trabalhar para grandes corporações pode ser excelente para desenvolver as três partes de seu cérebro, especialmente o subconsciente.

A pressão que meus amigos sofrem nesse tipo de empresa é imensa. Como eles aguentam, eu não sei. Os jogos mentais e os bastidores da política também oferecem grandes oportunidades para treinar suas inteligências inter e intrapessoal.

Para aqueles que querem ser empresários, assumir um trabalho em uma pequena empresa pode significar estar dentro do melhor ambiente de aprendizagem. Uma das vantagens nesse caso é que, ao contrário de uma grande corporação, nas pequenas empresas conseguimos enxergar os diferentes aspectos negociais. Em *Empreendedor Rico*, descrevo as oito integridades do Triângulo D–I — partes essenciais de um negócio. Ao trabalhar para uma pequena empresa, você aprende todas as oito e ainda ganha experiência, o que é essencial para ter o próprio negócio.

6. Seminários. As escolas tradicionais são importantes para as pessoas que querem diplomas ou licenças profissionais, tais como médicos, advogados e arquitetos. Também são importantes para as pessoas que querem subir na hierarquia corporativa ou governamental, em que se requerem diplomas de escolas de primeira linha para promoções. Os seminários e convenções, no entanto, são perfeitos para as pessoas que querem ser empresários ou investidores. Hoje, há seminários e convenções para todo e qualquer assunto na face da Terra. Tudo que você precisa fazer é achar o evento que desperte sua atenção.

7. Treinamento. Donald Trump e eu somos afortunados por termos tido pais ricos que foram nossos professores particulares. Qualquer pessoa que já praticou esportes coletivos sabe que um bom técnico pode representar o sucesso do time.

Minha empresa *Rich Dad* também tem uma divisão de treinamento. Ela é composta por técnicos profissionais que não apenas são excelentes orientadores, como também praticam aquilo que ensinam. Esta divisão é para pessoas que querem atenção individual. Como acontece com todos os programas da empresa *Rich Dad*, coloca-se grande ênfase na educação das três partes do cérebro.

Agora, se você está pensando: "Como posso pagar por um treinamento se não tenho dinheiro?", ou, "Por que preciso disso, já que estou indo tão bem?", reflita um pouco. Quando alguém diz: "Não tenho condições", ou, "Não preciso de ajuda" quando, na verdade, precisa, é a mente subconsciente falando. E é exatamente por isso que a pessoa precisa de ajuda técnica.

Um orientador é essencial para qualquer um que já esteja pronto para a transição do ponto A para o B, de um ambiente para outro. Não fosse meu pai rico a me orientar por quase 30 anos, eu não estaria onde estou hoje. Ainda assim, mesmo nos dias de hoje, continuo a ter um bom número de treinadores porque ainda tenho uma mente subconsciente que não está totalmente alinhada com meu espírito.

8. Internet. São vários os sites que hoje disponibilizam informação financeira gratuita. Alguns, inclusive, com ótimos downloads. Se você entende inglês, pode acessar meu site www.richdad.com. Nele, você poderá fazer o download de um vídeo que fiz com o dr. Michael Carlton, cujo título é *Can People Be Addicted to Being Poor?* ("As Pessoas São Viciadas na Pobreza?", em tradução livre).

Esses são exemplos de possíveis cenários transicionais. Para mim, a Marinha, a Xerox, meus negócios e investimentos no mercado imobiliário são os ambientes nos quais aprendi a desenvolver minhas habilidades. Se você quer desenvolver sua inteligência financeira, então escolha quais devem ser os melhores lugares para você.

Seja um Empreendedor Rico

A maioria de nós sabe que os empreendedores são as pessoas mais ricas da face da Terra. Hoje, alguns dos mais famosos são: Richard Branson, Donald Trump, Oprah Winfrey, Steve Jobs e Rupert Murdoch.

Há um debate para entender se "os empreendedores são natos ou se o empreendedorismo pode ser desenvolvido". Levanta-se esta questão porque as pessoas acham que é preciso ser especial ou ter algum dom místico para se transformar em empreendedor. Para mim, isso nem é grande coisa. Por exemplo, há uma garota de 15 anos na minha vizinhança que administra um negócio de babás bastante lucrativo, que contrata suas colegas de sala para trabalhar. Ela é empreendedora. Outro jovem faz pequenos consertos após as aulas. Ele é empreendedor. O que a maioria das crianças não tem é medo. Enquanto para muitos adultos é exatamente o que está sobrando.

Duas Características de Empreendedores

Hoje, há milhões de pessoas que sonham largar seus empregos e transformar-se em empreendedores, gerenciando os próprios negócios. O problema é que, para a maioria, os sonhos são apenas sonhos. Nunca se realizam. Assim, a questão é: "Por que tantas falham em tornar realidade seu sonho de ser uma pessoa de negócios?"

A melhor resposta a esta velha pergunta veio de um amigo: "Os empreendedores têm duas características... *ignorância* e *coragem*."

Na verdade, esta afirmação tão simples é bastante profunda. Explica muito mais do que o empreendedorismo em si. Explica por que muitas pessoas são ricas e a maioria não. Muitos alunos A não são ricos por terem inteligência, mas lhes faltar coragem. Existem muitas pessoas a quem faltam ambas as características: sabedoria e coragem.

A História de Dois Cabeleireiros

Tenho um amigo que é um cabeleireiro brilhante. Quando se trata de deixar as mulheres lindas, ele realmente é um mágico dos cabelos. Por anos, tem falado em abrir o próprio salão. E tem grandes planos, mas, lamentavelmente, tudo que faz é administrar uma única cadeira em um grande salão que não lhe pertence. E constantemente briga com o dono.

Tenho outro amigo cuja esposa cansou de ser aeromoça. Dois anos atrás, ela desistiu desse trabalho e foi para uma escola de cabeleireiros. Há um mês, fez uma grande festa de inauguração de seu novo salão. É um ambiente espetacular e atraiu alguns dos melhores profissionais da região para trabalhar com ela.

Quando meu amigo mais antigo ouviu falar do salão dela, ficou perplexo: "Como pôde abrir um salão? Ela não tem talento. Não é nada especial. Não foi treinada em Nova York como eu. Além disso, não tem experiência alguma. Vou dar a ela um ano para falir."

Pode ser que ela venha a falir. As estatísticas dizem que mais de 90% de todos os negócios fecham nos cinco primeiros anos. Mas o detalhe desta história é o impacto da *ignorância* e da *coragem* sobre a nossa vida. Nesse exemplo, temos um cabeleireiro supertalentoso — a quem falta coragem — e uma sem experiência, mas com coragem de sobra. Em minha opinião, a essência da própria vida é a relação entre ignorância e coragem.

Em 1974, eu não tinha emprego, dinheiro, nem muita experiência em negócios. Não conseguia viver dentro do meu orçamento porque sequer tinha um. Não podia diversificar porque nada tinha para ser diversificado. Tudo que eu tinha era coragem. No mundo real, *coragem* é mais importante do que *notas* boas. *É preciso ter coragem para descobrir, desenvolver e doar seus talentos para o mundo.*

Lembre-se sempre de que sua mente é *ilimitada* e suas dúvidas são *castradoras*. Ayn Rand, a autora de *A Revolta de Atlas*, disse: "A riqueza é o produto da capacidade do homem de pensar." Assim, se estiver pronto para mudar sua vida, encontre o ambiente que permitirá que as três partes de seu cérebro pensem como rico. E, quem sabe, você descobrirá, finalmente, quais são suas habilidades especiais.

Seu Feedback Auxiliar: Nenhum Homem É uma Ilha

Vivemos em um mundo de feedback. Quando subimos em uma balança, nosso peso nos dá um feedback. Se a balança nos diz que engordamos 5kg, podemos não gostar disso, especialmente se já estivermos 10kg acima do peso. Quando seu médico verifica sua pressão e envia uma amostra do sangue a um laboratório, ele está procurando por um feedback, ou seja, informações para fazer uma avaliação de seu estado de saúde.

Feedback é muito importante. Pode ser uma fonte crucial de informação sobre nós e o meio em que vivemos. O problema é que, se não gostarmos do feedback, nossa mente subconsciente pode bloquear, distorcer, diminuir ou negar a importância da informação contida nele.

Uma das lições mais esclarecedoras que aprendi na Marinha foi a importância do feedback. Quando cometia erros, o feedback era intenso e definitivamente sem adulação. Quando eu trabalhava com meu pai rico, havia a mesma intensidade nos feedbacks. Ao escrever o livro com Donald Trump, eu recebia feedbacks rápidos e certeiros. Não fosse por meu treinamento militar ou pelo fato de ter trabalhado com meu pai rico, sei que nunca poderia ter feito nada com Donald. Seu feedback era veloz, ferino e franco. Sei que se tivesse contra-argumentado, discordado ou não tivesse escutado os comentários dele, não teríamos trabalhado juntos — e eu não teria aprendido tanto.

Menciono isso porque hoje muitos de nós trabalham em ambientes em que não se permite feedback, ou ele não é sincero. Muitas escolas e empresas receiam lhe dizer o que precisa ouvir porque temem processos de assédio moral. Muitos amigos e colegas falam pelas costas porque não têm a coragem de falar com franqueza. Esse não é um ambiente saudável; ao contrário, é altamente disfuncional.

Um ambiente saudável oferece feedback. A vida está constantemente nos oferecendo informações preciosas, se você estiver disposto a recebê-las; e, na maioria das vezes, o feedback é de graça. Cada vez que você recebe seu pagamento e vê quanto paga de impostos, isso é um feedback. Se seus credores ligam demandando pagamento, também é. Se você trabalha arduamente, mas não ganha o suficiente, isso é feedback. Se gasta mais tempo no trabalho do que em casa com seus filhos, é feedback. Se seu filho está envolvido com drogas e sendo procurado pela justiça, isso é feedback. Se seus amigos são todos perdedores — e gostam disso —, é feedback. São informações relevantes. O mundo real está tentando dizer algo a você.

Seu padrão de vida é uma excelente fonte de feedback. Se você vive em uma casa que o faz se sentir pobre, isso é feedback. Se dirige um carro velho popular quando gostaria de dirigir uma Lamborghini, isso é feedback. O padrão de vida significa, simplesmente, aquilo com que você se adapta melhor. Não é sinônimo de *confortável*, *inferior* ou *complacente*. Padrão de vida significa que você está orgulhoso e apaixonado por sua casa, seus amigos e suas posses, em vez de invejar o padrão de vida de outras pessoas. Isso obviamente não significa que você deva melhorar seu padrão de vida fazendo dívidas. Estou falando em melhorá-lo primeiro encontrando um ambiente favorável ao aprendizado, então aprender e depois ficar rico.

Você não precisa de grandes escolas, grandes empregos ou de ler bons livros para receber muitas das melhores informações do mundo. Tudo que tem que fazer é olhar ao redor e escutar os feedbacks.

Existem três coisas que você deve saber a respeito de feedback:

1. Esteja Aberto a Feedbacks. Se quiser melhorar, procure por mais feedbacks. É por isso que mentores são importantes para as pessoas de sucesso. Pessoas bem-sucedidas buscam feedbacks continuamente.

2. Ofereça Feedback ou Aconselhamento Apenas Se Lhe Pedirem. Nada enfurece mais as pessoas do que receber feedback que não foi solicitado —

mesmo que elas saibam que precisam. Como diz o ditado: "*Não ensine um porco a cantar.* Você perde seu tempo e chateia o porco."

3. Aduladores e Enganadores Lhe Dirão o que Quer Ouvir, Não o que Precisa. Estas pessoas sobrevivem graças aos mentalmente desinformados e emocionalmente fracos. Elas percebem onde você não está bem e, então, astuciosamente elaboram uma mensagem de marketing à altura de tal fraqueza. No mundo do dinheiro, enganadores conseguiram fazer com que as massas acreditassem que diversificar e viver aquém das possibilidades é inteligente, ainda que os investidores mais inteligentes do mundo como Warren Buffett não diversifiquem nem recomendem viver aquém das possibilidades.

Warren Buffett vive dentro de *seu* padrão de vida, que é muito diferente do padrão de vida de Donald Trump. Buffett vive em Omaha, Nebraska, enquanto Donald Trump vive na cidade de Nova York. A questão é que ambos têm condições de viver em qualquer lugar do mundo e sob qualquer padrão de vida que desejarem, mas estão felizes onde estão.

Algumas outras questões importantes são:

- Você vive onde quer e tem o padrão de vida que deseja?
- Você diversifica e vive *aquém* das possibilidades assim como os enganadores podem viver *além* delas?
- Você se relaciona com amigos e pessoas com quem quer estar associado?

Se quiser se tornar mais saudável, esperto, rico e feliz, preste atenção ao próprio feedback. Ele está lhe oferecendo a informação mais importante do mundo. Mesmo que não goste do próprio feedback, se tiver a coragem de ouvi-lo e de aprender com ele, será bem-sucedido. Obrigado por ter lido este livro.

Sobre o Autor
Robert Kiyosaki

Mais conhecido como o autor de *Pai Rico, Pai Pobre* — apontado como o livro nº 1 de finanças pessoais de todos os tempos — Robert Kiyosaki revolucionou e mudou a maneira de pensar em dinheiro de dezenas de milhões de pessoas ao redor do mundo. Ele é um empreendedor, educador e investidor que acredita que o mundo precisa de mais empreendedores para criar empregos.

Com pontos de vista sobre dinheiro e investimento que normalmente contradizem a sabedoria convencional, Robert conquistou fama internacional por sua narrativa direta, irreverência e coragem e se tornou um defensor sincero e apaixonado da educação financeira.

Robert e Kim Kiyosaki são os fundadores da *Rich Dad*, uma empresa de educação financeira, e os criadores dos jogos *CASHFLOW*®. Em 2014, a empresa aproveitou o sucesso global dos jogos da *Rich Dad* para lançar uma nova versão revolucionária de jogos online[1] e para celulares.

Robert tem sido considerado um visionário que tem o talento de simplificar conceitos complexos — ideias relacionadas a dinheiro, investimentos, finanças e economia — e tem compartilhado sua jornada pessoal rumo à independência financeira de uma forma que encanta o público de todas as idades e histórias de vida. Seus princípios fundamentais e mensagens — como "sua casa não é um ativo" e "invista para um fluxo de caixa" e "poupadores são perdedores" — despertaram uma enxurrada de críticas e zombaria... para depois invadir o cenário do mundo da economia ao longo da última década de forma perturbadora e profética.

---
1 Ver: http://www.richdad.com/apps-games/cashflow-classic (conteúdo em inglês).

Seu ponto de vista é de que o "velho" conselho — arrume um bom trabalho, poupe dinheiro, saia das dívidas, invista em longo prazo em uma carteira diversificada — se tornou obsoleto na acelerada Era da Informação. As mensagens e filosofias do pai rico desafiam o *status quo*. Seus ensinamentos estimulam as pessoas a se tornarem financeiramente proficientes e a assumir um papel ativo para investir em seu futuro.

Autor de diversos livros, incluindo o sucesso internacional *Pai Rico, Pai Pobre*, Robert participa frequentemente de programas midiáticos ao redor do mundo — desde *CNN, BBC, Fox News, Al Jazeera, GBTV* e *PBS*, a *Larry King Live, Oprah, Peoples Daily, Sydney Morning Herald, The Doctors, Straits Times, Bloomberg, NPR, USA TODAY*, e centenas de outros — e seus livros frequentam o topo da lista dos mais vendidos há mais de uma década. Ele continua a ensinar e inspirar o público do mundo inteiro.

Para saber mais, visite www.seriepairico.com ou o site original, em inglês, acessando www.richdad.com